译林出版社

T3-BUW-387

粲然 著

骑鲸之旅

0—2岁亲子共读不可不知的神奇魔法

© Yoko Sasaki

Contents 目录

© Yoko Sasaki

© Yoko Sasaki

© MIYANISHI Tatsuya

© MIYANISHI Tatsuya

亲子共读的骑鲸之旅

0—2岁
亲子共读的骑鲸之旅

　　米尼才一周岁十个月，在亲子共读这条路上，我们很资浅。即便如此，对我而言，和他或躺或卧、耳鬓厮磨着读绘本的时光已经足够光怪陆离、变化万端。亲子共读，在宝宝这么小的时候，家长需要意识到，这不是什么学习任务，它和一起搭积木、一起望涨潮、一起游乐园并无不同。然而，从另一方面，它确实能带你邂逅无穷魔法与惊喜。

　　该如何与0—2岁婴幼儿共读，我说说自己的原则和浅见。

1 得谈谈自己的人生观

　　这关系到为什么那么早进行亲子共读。

　　我是轮回论者，因此相信孩子的灵魂,觉得"孩子看得懂吗？"

这样的质疑毋庸理论和回应。因此，不仅在阅读时间，只要他愿意听，我乐于和他谈论世界万物和生命真相。说这话，我的意思不是说你必须成为一个轮回论者，而是说，亲子共读需要有个"孩子本位"的前提。不是"我在教育你"，"这本绘本很多人推荐，也很贵，你要给我读下去"，"看书才是好孩子"，"看书就要学好，要学书里的道理"——这些前提都是外化的、居高临下的。在这样的前提下进行的亲子共读对你和孩子而言都会非常痛苦，充满偏执和虚妄。这是一条错的路。

在开始亲子共读前，你一定要认识到：你和孩子就要像亲密好友那样啦！在往后的日子里，你们的世界将渐行渐远，但这样互相倚靠着捧着书的时光，是足以让你们在岁月中安静驻足的基石。通过共读，你们一起看见美，听见彼此的灵魂。

② 亲子共读的第一个成果是：失败

有很多妈妈跟我说，我的孩子十个月啦，我给他／她念书，他／她不仅不理我，还撕书。宝宝根本不爱书，怎么办呢？

呀，做妈妈的人真的有很多幻想呀！我不禁想问，你们认为亲子共读的开始应该是怎么样的呢？当你捧起一本书，满地鸡毛的房子立刻万籁俱寂，孩子变身天使，甜蜜地靠在你怀里，一目十行，过目不忘，舌绽莲花，当你读完一本你爱的书，他们就乖乖睡着觉？

这不是真实、多舛，却给你无限惊喜的育儿人生。

0—2岁的亲子共读，我经常觉得就像一场骑鲸之旅。你在生命的海洋遇到一只通具人性却无法表达的小鲸鱼，你们一见倾心。但它有自己无限无垠的好奇心，也有可以供它自由遨游的大海。为了和它共游，你要诱哄它（甚至把自己伪装成另一只胖笨鲸鱼！），和它谈论它理解和感兴趣的事，一步一步靠近它。

在具体的阅读中，有三件事是可以在初次的亲子共读中进行的。

魔法 A 找到孩子的兴趣点：一开始，我们要经常翻到孩子肯定会感兴趣的那一页，说："你看，哥哥也摔过东西哦。""这个足球米尼也有一个。""垒高高的事情米尼也常做。"在孩子专注力只有几分钟的婴幼儿期，让孩子时不时停下来凝视书页，是你在它心田里种下的一颗善因。

魔法 B 不停重复：婴幼儿期的孩子，尤其是一岁半前的孩子——除非他自己要求——需要的书并不像你想象的那么多。他们更喜欢不断重复"那几个"，甚至"那一页"故事。如果你意识到宝宝有这样的要求，快！停在那里。这是亲子共读的第一缕曙光。不断重复阅读，像带领婴儿无数次地认识回家的路，能一再加深宝宝的安全感。听着你念书，他们心里会不断欢呼："哇，这个我知道！这个我记得！"经由这样的过程，他们感受到的人生不再茫茫无期，而是充满笃定和信心。

魔法 C 快乐地接受失败：我一直认为，亲子共读的第一个成果，是不断地扔下书，不断地失败。对父母而言，这是孩子给我们的开示："你独自唠叨的时间太长了，这是你的自以为是！""整个世界在等我玩，我没空看你的书！""如果书像你说得那么好，为什么不让我咬一口？"小宝宝们真的是一群小鲸鱼。

如果他们不愿意游向你想去的岛屿，就一起漫无目的地浮游在大洋之上吧。比起看书，由孩子指引着享受世界，这样的时光更加珍贵。

③ 如果他们开始阅读，请做一个独立书架

　　做独立书架这事，对我来说是个大大的惊喜。这是个巨大的魔法！可恨我眼拙，在米尼一周岁八个月的时候才动手给他整理了一个睡前书架。当时，米尼有一百二十本绘本，他熟读了其中的一大半。在做书架之前，他的书散落各处，看什么书多半靠"邂逅"和"妈妈主观意愿"。做书架这事，我后来才发现，等于把选书的权利交给他。之后的两个月，我们全家亲眼看到了他和书之间的狂欢。就像一个女人面对一个属于自己的衣帽间一样，一个一周岁八个月的孩子会自己挑选"今天想要看的书"。孩子会通过阅读一本书里的某一个情节或者场景，甚至仅仅是夹在书里做宣传的另一本书的书签，联想并引导自己到旁的书上去。书架，像这场骑鲸之旅的一个里程碑。你们的漫游不再无边无际。对，世界还是全然洞开的。但他现在乐于享受你给他的权利。

④ 如果他开始享受阅读，请你老老实实读书上的字

　　我是个自以为是的妈妈。在很长一段时间里，我都手捧绘本和米尼扯掰。当然，我还是会按书上内容讲，但很多时候我认为自己说的话比书里配的文字更棒！开始意识到真正去"读书"（我说的是老老实实按书上文字一个字一个字读）的好处，是从《逃家小兔》开始。以前，我一直认为逐字阅读《逃家小兔》对一周岁八九个月的孩子来说太深奥了。但作为实验，我开始在米尼喝夜奶的时候逐字念给他听，过后再虚里胡哨地进行讲解。开始时每晚读一遍，后来在他要求下读三遍，一星期后他每天都会要求我读四五遍。两星期半后他不再要求了，因为无论我在哪段起头，他都能流利地接下去，并把那段读完。

我不是一个以"孩子能背完一本书"为荣的妈妈，所以，这事给我的启示延后了一个多月才出现。这时出了另一件事。

米尼有一本书，叫《先左脚，再右脚》，说的是爷爷教孩子学走路，后来孩子搀扶生病的爷爷的故事。因为觉得题目拗口，所以我和米尼叫它"和爷爷搭积木的书"。但我出差时，他要求看这本书，家里人就不理解他要的是什么。

不，我不是要说识字的事，虽然这是有关联的。我只是要说，作为父母，不要太相信自己。你可能有一百万次精彩的信口胡掰，但这些胡掰多半是没有逻辑、缺乏因果的，纵使璀璨如烟霞也转瞬即逝。一岁半后的亲子共读必须是有意识的寻路之旅了。你和你的小鲸鱼已经相互熟悉到可以对他说："走，朝这条路走！"一个字一个字老老实实地为两岁左右的宝宝读书上的字，就好像沿着前人留下的指航灯朝着岛屿前进。你的按图索骥，并不会遏制孩子的想象力。相反，在这段摸着石头过河的路上，你们会感到更胸有成竹。

这是一个游戏。

你可能知道你的宝宝最喜欢什么书——那么，哪几页会让他笑得最久？

有一天下午，米尼被家人带出去玩。我在地板上把米尼近期阅读中最"至关重要"的几页书页摊开。哪怕只有一岁多，他最喜欢的阅读依然反映出他最真实的本质——一个调皮的男孩，有幽默感，喜欢探究别人的身体，每天在海边玩四个小时，热爱与大海、风浪、躲猫猫、积木和汽车有关的东西。在近两百本绘本中，我还能找出让他最惆怅的几页，让他最有对话欲的几页——突然，一个孩子想诉说的灵魂就展开在我面前。

这是一个超级巨大，而且会越变越大的魔法。

我是说，当他更大一点，越来越大，拥有越来越多的书，你能够摊开的书页越来越多，他向你倾诉的快乐、忧愁、焦虑、挫折、希望就越来越多。

我是一个腼腆且软弱的妈妈，说不的时候不够坚决，说爱你的时候不够果断。但有无穷无尽的童书做介质，我想我能排除万难，说出最美的情话。嗯，一定是这样的啦！

所以，别急着朝前走。深呼吸，把又甜又香的宝宝抱进怀里，享受一起翻开书的那一刻。或者，找个午后，把"对他/她至关重要"的书页通通摊开，阅读孩子想要倾诉的心灵。

6 用阅读把孩子真正的"孩子气"延续得更久一点

虽然讲的是自己对 0—2 岁宝宝阅读的一些体会，但还是要再呼吁一次，别着急给孩子看识字卡；别着急在孩子看完每个故事后问他们："你知道什么人生道理了吗？"等他们再大一点；别着急给他们看大部头的世界名著。

十岁前，除了四大名著各种演义，我还读过数十本大部头的国外小说。但现在回顾自己幼儿和少儿时期的书单，我认为中国父母选书是有问题的。如果当时能阅读更多杰出的"孩子气"式的伟大作品，而不是被话痨的狄更斯、巴尔扎克、司汤达，和工于心计唧唧歪歪的曹雪芹、罗贯中绊住脚的话，我的一生将离幻想王国更近些，也更自由些。

所以，这趟骑鲸之旅，让我们和这些精灵的小鲸鱼们一起努力，重新向幻想王国进发吧。借由童书和爱的阅读，靠近最高级的想象力、最高级的美，以及生命的真相。仅仅怀抱这样的梦想，就已经很了不起。

挤大便时想念卡车

卡车装满了土
开向海边。
轰隆轰隆
卸货了。
卡车高兴
大海不高兴。

卡车装满了土
要去世界博览会。
轰隆轰隆
开进山里
翻跟斗了。
卡车不高兴
大山不高兴。

在沙滩上看见挖土机

挖土机真的好棒哦，
天天和沙玩。
直直地开到海里面去，
弄脏了，弄脏了，
沙。

0—2岁
亲子共读的骑鲸之旅

——资浅爸妈变成大胖鲸魔法种种

之前我曾说过，0—2岁的亲子共读，就像一场骑鲸之旅。我们在生命的海洋里遇到一只通具人性却无法表达的小鲸鱼，相互一见倾心。但它有自己无限无垠的好奇心，有源源不断的活力和浩瀚未知的大海。为了和它共游，你要诱哄它——甚至把自己伪装成另一只大胖鲸！

这部分，是写给孩子一岁半后，亲子共读已稍有基础，孩子表现出对书本的耐心与兴趣的父母的。在骑鲸之旅中获得共游权，仅仅是个开始。当与小鲸鱼们泅渡深海时，哪怕你对亲子共读毫无功利之心，仍然难免会被某种神秘的前途未卜感所包裹。大部分时候，你会困惑于：

- 阅读时间长短该让孩子做主，还是由大人控制？
- 什么时候停止重复旧书，引入一本新书。该怎么介绍新内容？
- 绘本里真的有很多孩子完全不理解的词和内容，绕过它们，还是通盘照搬？
- 怎么挑选"肯定适合我孩子"的绘本？

······

这些都是非常大非常大的亲子共读问题。作为一个一周岁十个月的宝宝的妈妈，我也经常被击败，摔得鼻青脸肿。可后来有一天——想必你们也有这样的体会，真的会有奇迹似的某一天，当你们觉得漂浮在大海上，丧失方向感，因为屡战屡败，你们已经忘记这趟骑鲸之旅要去向何方了——突然，小鲸鱼向你靠近，天色微露曙光，你发现你们要去的幻想王国在及目可见的地平线上。

只要你真心为爱朗读，这一天一定会来到的。作为一个曾经历许多失败的人，我只能说说等待那一天到来之前，我自我励志似的运用过的一些魔法。

 别用你的手表计算阅读时间

我经常着迷于计算亲子共读的时间。它时而无比漫长，时而稍纵即逝。这是为什么呢？后来有一天，我恍然大悟，当孩子满怀赤子之心沉浸于与你共读时，时间是外化的无用之物。

曾有妈妈问我，你每天花多少时间和米尼共读。我想精准回答，于是说："四十五分钟。"——因为我下意识地认为一个一周岁十个月的孩子，听、看绘本的注意力集中时间，顶多持续四十五分钟。可后来我留心计算了一下。刨除一天零零碎碎讲故事的时间，每天晚饭散步后（晚上七点半）至入睡（九点半）的两小时，我们确实都是在铺满书本的大床上蹦跳着度过的。

但这绝不是说，我们每天花两个小时进行亲子共读。（哇，那对一个还未满两岁的孩子而言简直是不幸！）而是说，没人计算有多少时间花在亲子共读上。我们划出某个"彼此都很轻松舒畅的时间段"，让小鲸鱼们操纵这段时间，他们更乐意这样。

如果你放弃对时间的计算，你会发现亲子共读变得更有趣，更适合婴儿们或长或短的注意力集中时间。对，放弃手表，用你的心来感受孩子在某本书、某一页、某一段文字上所需要的阅读时间。有时候，在他们感兴趣的一页，他们愿意凝视三分钟，笑得叽叽咕咕；有的时候，他们飞快地抛弃整本书，只对某张书页感兴趣（有段时间米尼只热衷《爸爸，我要月亮》的扉页！每次阅读我都要做出兴趣盎然的样子陪他盯着扉页傻兮兮地笑，但后来那本书成为他能复述的书之一）——这时候，请你一定给予他们99.9%的掌控权。对一岁半到两岁，甚至两岁半的，自我意识开始茁壮成长起来的孩子来说，这关系到他对"书本阅读"这项活动的定义和好恶。想想当你快乐地吃着清淡的榨菜小米粥，突然有人搬出整套满汉全席非要与你共享时，你自己的感受吧。捍卫他们的兴趣，真的比让他们像成年人一样读完一本书重要得多。

因此，如果现在有人再问我，你每天花多少时间和米尼共读，我会带着无奈的口吻说："莫测。"我只能把这段时间给予这段旅程，但我不戴表计算时间。

当然，这其中，有一件事是我唯一坚持做的。许多时候，小宝宝们对书有他们独独钟情的几页。比如《千万别去当海盗》，米尼一开始真的只喜欢看里面特定的两页而已，他每次打开那本书就直扑那两页，爆笑一通，然后甩手而去。我会坚持快嘴快舌，自唱自演地把这本书的内容飞快地说一遍（舌头常险没被搞"脱臼"）。一开始这只是我一向善始善终的固执作祟，不过很快我欣慰地发现这并非自作多情。虽然做出左顾右盼的样子，小鲸鱼还是会尾随着你，你打开一扇门，他不进去……不进去……不进去……然后有一天，他突然进去了，且大摇大摆，做出熟门熟路的痞样子。

然后——他就和你一起占领那本书。

 用大部分的亲切淹没小部分的陌生

虽然比喻不恰当，但是，有一种杀人魔法，就是把一个你想杀的人派去战场，放个冷枪，他的尸体会淹没在战场之中，没人会记得你的罪行。

每当我向米尼推荐一本新书时，我嘴角就带着这样的狞笑，嘎嘎嘎嘎嘎。

对一个开始愿意接受亲子共读的孩子来说，给他们引入新书，通常他们有两种反应：其一是很雀跃，但他会萌发"我的地盘我做主"的想法，翻看和摆弄某几页，指手画脚，让新书的阅读一开始就方向错乱；其二是有点排斥，宝宝们对"重复阅读"的兴趣总是比较大，他们更愿意安心地走熟悉的路径，而不是一次又一次攀登无名高峰，他们是"书不如故"信条最好的演绎者。

有几个相对安全的"推出新书"的方式。最好用的一条，就是在他最安静、最敞开心扉的时候引入新故事。那是你们心灵对话的隐秘时间：喝夜奶时；哄睡觉的最后冲刺阶段。那时候他们的心灵是全无防御的，这时候说起新故事，就好像他们的梦境絮语，是最容易被接受的时候。另一个，是把文中主人公的名字换成孩子的。比如《大卫，不可以》，一开始我就读成《米尼，不可以》。接着，去旅行的青蛙弗洛格的小名也叫米尼，逃家小兔也叫米尼，老爱喊"不"的米米——当然也叫米尼咯！——当他们的名字和书中角色的命运产生关联时，总会吸引他们第一次的注意力。

另外一个我最近常用的魔法，是"淹没"。这个方法适用于稍有阅读基础的婴幼儿。比如，今夜，他已经熟读《爷爷一定有办法》《先左脚，再右脚》，"读完爷爷的书，刚好这里有本外婆的书哦！"然后，《楼上的外婆和楼下的外婆》就会出现。读完《爸爸，我要月亮》《月亮，你好吗》，"咿，这边怎么还有一个月亮？"然后，《月亮的味道》就会出现。读完《睡觉去，小怪物！》，"呀！这边还有一只鳄鱼，它好倒霉哦！"然后，《鳄鱼怕怕牙医怕怕》就会出现。

在上一篇中我曾说过，让小宝宝停下来凝视书本的第一个魔法，是"找到他们肯定会熟悉和感兴趣的那一页"，这个魔法是"淹没"魔法的基础。在"淹没"魔法里,宝宝们阅读过,并且熟悉的书开始变成向上的阶梯,成为下一步的基石,成为宝宝和你共同走过的路,沿着这条路,你们的拓疆速度开始加快。

怀着不贪多的心,试试看,效果真的很惊人。

3 形容词、动词和比喻句的魔法

对很多进行共读的父母而言,痛苦的不是跟孩子述说故事情节,不是靠自己的想象讲完一个故事,而是怎么处置在绘本阅读中出现的形容词、动词和比喻句。

"宝宝根本听不懂这些。多半我会照着念下去,重复念。等他们理解没有错啦。但是,这真的有用吗?"曾经有一个妈妈这样问我。

我觉得解决这个问题的关键,不在书本之中,而在书本之外。

现在,请你停下翻开绘本的手,想一想通过这些绘本,你到底希望自己和孩子走向何方。

通过亲子共读,让孩子感受你的爱。希望向他初步描绘他将要步入的现实世界,并希望他心中永存一片幻想王国——想必许多父母的想法和我一样吧!

绘本阅读,不在于绘本本身,而在于你们和这个世界的关系。

因此,在绘本阅读中,我非常珍视那些形容词。对我来说,当形容词降落在宝宝们的心田,他们的世界就有颜色了。他们掌握的形容词越多,描绘世界的能力就越强,而他们和世界的关系也就越亲密。

当然，绘本的作用都是让宝宝亲近世界的。它们有万千法门，比如数字和颜色（《好饿好饿的毛毛虫》），比如像音乐一样的诗句（《逃家小兔》《亲爱的小鱼》），比如冲击力极强的图画（《大卫，不可以》），但在宝宝们的语言发育期，请你重视那些含有形容词的绘本。

米尼最喜欢的形容词绘本，是《爸爸，我要月亮》。这本书用奇妙的版式，演绎了那些构建宝宝世界的最初的形容词：长、高、大、小。这些空间感十足的形容词，在很长时间里被他用来描述很多事物，后来，他还学会"远""破""新""漂亮""脏"……我没有数他现在懂得多少形容词，但得说，我非常喜欢他眼中日益繁复多彩的世界。

再来说动词。其实绘本里很多动词不是写出来的，而是画出来的。之前我说，我不能计算我们的阅读时间，有一部分原因是，我们经常"演"绘本。

"演"真是个好魔法，有时候你甚至没意识到它到底有多好。一开始真是因为有趣，我会重点演某本书的某个表情、某个动作。《野兽出没的地方》那本书，我们还全家总动员演野兽狂欢。当时，我模模糊糊地想，即使米尼长大忘记这本绘本，他也一定会记得那些全家变身野兽，望月狂吼的美好时光。我还为了演《鳄鱼怕怕牙医怕怕》去看牙医。突然，原本为情节而进行的"演"，在细节上表现出了它的另一个好处。一些奇怪的动词开始发酵，米尼开始知道"鞠躬""探头探脑""翻跟头"，知道视力气区别，什么时候用"扛"，什么时候用"提"，如此等等，不一而足。

当然，看巧虎系列的 VCD，或耳濡目染，他们终究会懂得这些。

可是，从静态图画演变而成的动态世界多么有趣。这样想着，我似乎也行走在孩子的心里，行走在他们永不沉寂的世界里。

最后，是比喻句。我觉得大人太害怕比喻句了。但对宝宝来说，他们和比喻句是天生的好朋友。不过，宝宝们的比喻句是封闭的，内向的。他们会把不熟悉的东西比喻成自己熟悉的东西，比如把灯比作月亮，把下坡比作滑滑梯……他们的比喻句是小心翼翼的，从一个熟悉之物过渡向另一个熟悉之物。

对宝宝来说，大人的比喻句可是神来之笔，是缩略的绘本，让他们从自己可见、可感、可视之物大踏步跨向他们未知的世界。多用比喻句，这是涂抹在宝宝们幻想王国的浓厚色彩。

4 除了魔法，还有命运

很多妈妈都纠结于如何选择绘本，我也是其中一个。建立宝宝的绘本库确实花费不菲。最重要的是，你远不能保证弹无虚发，本本都是宝宝的爱。

松居直等先贤教给我们的保障性做法是：首选获得国际大奖的绘本。

接着，因为网络发达，我们还可以参照许多绘本达人、亲子阅读推广人的推荐，像杨政老师、王人平老师、"深圳小刀"老师……

可是，还有个阴森森的理论像幽魂一样徘徊和显现：所有的推荐仅仅是推荐。没有人比你更了解你的孩子——这没错啦，但是，有时候在挑选绘本时，你会像有选择恐惧症似的彻底失措，不知道下一步该怎么走，该把什么绘本摆在孩子的面前。

从我个人经验来说，我觉得以上说法都适用于现实。而对主妇而言，最重要的是：算好你的预算，接着——让自己忘记花了多少钱，放轻松。

我在心里把米尼的两百多本绘本默默划分为：生活常识类（最多的是他那些和汽车有关的书），幽默逗趣类（如"洞洞书"系列、大卫·香农系列图书、《有个老婆婆吞了只苍蝇》等），说情话系列（如《我妈妈》《我爸爸》《逃家小兔》《猜猜我有多爱你》等），端正世界观系列（如《鸭子骑车记》等）。但各类别都会有交集，一本绘本对宝宝的指向作用，远比我们想象的宽广得多。

所以，只要不买太过超龄的书，不对自己荷包形成压力，别纠结"我必须买哪本绘本"这个问题。孩子会长大，会遇到无穷无尽、无法详述的人和事，绘本是他与世界的第一次邂逅。总有些巧遇在你的计划之外，接受和相信命运。

关于这点，我还有另一个个人感受要说。有段时间，我狂热地收集我喜欢的画家的绘本，尤其热衷于像大卫·香农、昆廷·布莱克这样元气充沛，每根线条都带着哈哈大笑气质的画家。可后来松居直的一句话打动了我。在他看来，孩子拥有的绘本就是他最初的美术馆，是浸入他骨髓的美学构成因素。为了对婴幼儿包容万象的美术馆负责，我还是收下自己不喜欢的佩特和伯宁罕。（后来《和甘伯伯去游河》成了米尼挚爱，好吧，我至今不喜欢那本书。）所以，万一你收了你大不以为然的绘本，不妨也捂紧喋喋咒骂的嘴，掐住钱袋，看看凝视着画面的孩子，对自己催眠说："看呀，他们能看到美！"

5 放下绘本，闭上眼睛

我是一个害羞的妈妈。平时很饶舌，但有时候不知道怎么跟一个周岁上下的孩子对话。绘本是一个让人感觉"我们好像在做一件需要双方共同完成的事"的东西，打开绘本，像打开共同亲密感的介质。（当然，"亲子互殴时间"和"每天大海时间"里我们也很亲密的。）但是，就像之前说的，共读绘本的目的绝对不是绘本本身，而是和世界达成默契。所以，当你感到你们对某一绘本足够熟悉时，放下它，闭上眼睛，用想象力填充它。因为这个世界最终的支撑物，不是绘画，不是文字，不是所有的词汇，而是想象力和彼此之间爱的记忆。

共读绘本这个行为本身，是为了放下绘本面对世界。只有这样，这珍贵的骑鲸之旅才是毫无束缚的、全然自由的。

在《骑鲸之旅1》中，我尽量避免谈到米尼的绘本阅读情况，希望在更宽泛的所有人的亲子共读语境中去谈论绘本阅读的种种魔法。但在《骑鲸之旅2》中，因为牵涉到更多更细微的阅读细节，我经验又浅，经常拿自己的孩子做例子，为此我深深汗颜。

我不喜欢那些"我的孩子很出色，所以你们要依循我的做法"的权威育儿书，也时常反省，告诫自己万万不能做这样的母亲。我们的亲子共读之旅遭受了许多失败，至今还有很多不足和缺陷。所以，如果在读这篇小文时让您有这样的感受，请千万包涵。

亲子共读的很多体验，是很私人的。正因为如此，它也夹杂着不可言说的甜蜜。之所以把这些魔法写出来，因为我正怀抱一颗喜悦而盼望呼应的心。每个夜晚，我都独守一隅，和自己的小鲸鱼泅渡大海。"喂——喂——听到了吗？我在这里。我很开心。你们呢？"

冬天的傍晚坐上沙滩摩托车

我坐在大海旁边挖沙。

突然，沙滩摩托车跑来对我说

"米尼，我在找你呢！"

嘟嘟嘟嘟，

嘟嘟嘟嘟。

沙滩上满是

摩托车的倒影

和五颜六色的车辙。

跟着跑

跟着跑。

我来了！

我来了！

为了孩子的自由，
请先忘记你的道德感

　　写"骑鲸之旅"的绘本笔记后，经常有爸爸妈妈问我，我孩子八个月（一岁、十八个月）了，有什么非读不可的书？按我一路走来的浅薄经验，我觉得在亲子共读最早期的绘本选择上，大家可以更轻松些。就好像孩子学说话是从单词开始一样，最早期的绘本，要和宝宝们交流最基本的生活常识（《小熊宝宝绘本》），最基本的情感（《菲菲生气了——非常、非常的生气》），最基本的动作（《蹦！》）。就像俄罗斯方块刚开始时稀稀疏疏下落的五颜六色的方砖，也许宝宝们时而喜欢时而不喜欢，也许无用，但总不会出大问题。

　　但是，当"砖块"形成壁垒，单词组成表达实义的句子，亲子共读进入"必须给予经验"的阶段，就需要非常谨慎。

绘本——不，可以说，哪怕语句最繁复的书本都有太多留白。当亲子共读进入"有情节的故事"的阶段，对父母来说，这个添砖加瓦的过程更映射和突显着你的内心。我经常分不清，什么时候该悬崖勒马地闭嘴，让孩子自己领悟；什么时候该推进一把，让我们的旅行更深入幻想王国；什么时候该屏蔽自我经验，不给他们的自由设限；什么时候该呼唤自己所有的人生洞见，向他们敞开胸怀："即使我经历了那么多岁月，却仍然和你站在一起，对世界满怀爱意。"

回到绘本本身，在共读中，很多时候父母读给孩子的，不是"太少"了，而是"过多"了。我们是背负着过多道德和经验，背负着过多以往受到的欺骗、生活留下的怨言在读书。我曾经看到有人在绘本《妈妈的红沙发》的购买记录下留言，说："这个沙发的颜色太俗艳了！而且妈妈画得也不像正经女人。"还有人指责《野兽出没的地方》："孩子生气时还引导他做野兽，这种书太可怕了。"这样留言的人，我几乎能想见他们一面共读，一面对孩子耳提面命，谆谆教诲，讲述做人的道理，对绘本，进而对家庭、对社会义愤填膺的样子。当你抱着这样的偏见和情绪时，请马上暂停亲子共读，放你的孩子耳根清净地堆积木去吧。

我认为，亲子共读需要把道德评判降到最低。真正自然开阔的心灵不需要是非好坏的羁绊。从这个角度上说，宫西达也的"恐龙"系列、"小猪和狼"系列是那么可贵，它们打破了"狼和恐龙是凶残、恐怖的"这样的童话形象。孩子需要意识到，万物的灵魂都有善的一面，生活是诙谐的，爱会在所有地方取胜——而不仅仅只在好人的心里获得成功。

因此，在米尼快满两岁，全面进入"情节故事"阅读的这段时期，我尽量剔除道德批评的故事，对一些对人生下判断的书也保持警惕。

比如安东尼·布朗的知名绘本《看看我有什么》。

《看看我有什么》描述了一个"什么玩具都有"的孩子杰米和一个"只是插着口袋闲逛"的孩子山姆的故事。杰米一而再而三地向山姆炫耀他的玩具：自行车、棒棒糖、足球、猩猩玩具装、海盗服……但这些玩具却给杰米本人带来了撞伤、肚子疼、被管理员斥责、被狗追、被海盗殴打的厄运。一无所有的山姆却一路畅通地进行自己的闲逛。

我一直没想好要用什么方式，在什么时候跟米尼读这本"仇富"的绘本。我担心这本书形成两个很危险的陷阱。没有玩具的孩子会认同"占有许多玩具的人最终会倒霉"这个结论，如果孩子在他们的经验和现实中没有找到类似的有力的支撑，可能会认为这本书"撒谎"；而另一方面，有许多玩具却又敏感的孩子可能因为这本书描写的情节而背负上许多顾虑，因此不能享受到玩具带来的全部乐趣。

总之，这是一本让我觉得困难重重的书。可我又经常反问自己，这些预设的困难究竟是来源于书本，还是我的内心。对"祸兮福之所倚，福兮祸之所伏"这样的寓言，我们成年人时而满怀期待，时而满心畏惧。对两岁的、充满超现实经验的孩子来说，这句话仅仅是偶发的、令人发笑的一段旅行，一个埋伏的可能性，一个无常，如此而已。

从这个角度来说，《看看我有什么》的处理方式远逊于大卫·香农的《鸭子骑车记》。

《鸭子骑车记》说的是一只鸭子，它冒出"疯狂的主意"，偷偷骑起停在农场里的自行车。它遇到了：认为它"愚蠢"的牛，认为它"会摔伤"的绵羊，认为它"没有真功夫"的狗，认为它"浪费时间"的猫，认为它"怎么骑都没我快"的马，认为它"不守规矩"的鸡……可它还是心无旁骛地享受骑车的乐趣。后来，一群孩子把车停在农场里，动物们乘人不备，都骑上车，在农场里打着转。它们异口同声地说："真好玩！""鸭子你这个主意真棒！"故事的结尾是，鸭子……又看上了拖拉机！

我非常喜欢这本绘本。作为不敏于行的成年人，面对新事物，我也常常是众多持围观心态的人中的一员。在这本绘本中，作者并没有处理出"鸭子因为骑自行车得了某某冠军"或者"那些腹诽鸭子的动物们自食其果"这样的补偿性结尾。它对孩子明朗的心，和我们这样被层层包裹的心一视同仁地呼唤"一起玩吧""动起来的人生真有趣"！

共读到某个时候，你会发现，那些"坏人得逞一时，最后受到处罚"的书会在短时间内调动孩子的专注力，让他们着急听到结尾。但是，他们真正发自内心喜爱的，是那些抛弃道德评判和教条，幽默，接纳所有行为的开放型绘本。那些绘本往往是最高级的，流传最广的，好吧，也是得奖最多的。

就像你会被一本老套路的畅销书吸引，但你的心灵只会向意味深长的经典一再致敬一样。

这样的书，在米尼的书架上还有《大卫，不可以》《和甘伯伯去游河》《晚安，大猩猩》。

佩吉·拉特曼的《晚安，大猩猩》说的是夜深人静时，动物园的管理员去跟动物们道晚安。大猩猩偷走了他挂在身后的钥匙，尾随着他，逐一放走了大象、狮子、长颈鹿等所有动物，动物们排成队，默不作声地走在睡眼惺忪的管理员后面，回到管理员家里，横七竖八地躺在他卧室里。大家互相道晚安的声音惊醒了管理员的老婆，她起床把动物们带回动物园——不过，大猩猩和小老鼠又溜了回来，爬上管理员的床，和管理员夫妇一起沉入梦乡。

孩子们非常喜欢这样的书。后来我发现，只要有关"释放"（暗喻自由）、"犯错却得到接纳和爱"的内容，他们都会欢欣鼓舞地接受，大笑，产生共情。

而这类的书，通常都在最高层次上抛弃道德感和是非观。

米尼的书架上，还有一本比较特殊的书：《彩虹色的花》。

《彩虹色的花》说的是从初春原野上冒出来的彩虹色的花，她乐于分享自己的快乐，把自己五颜六色的花瓣分给了需要帮助的小蚂蚁、小蜥蜴、小鸟、小老鼠……风越来越大，冬天再度来临，她的最后一片花瓣被风刮跑了，彩虹色的花折断了，白雪覆盖了大地。但在雪地上，突然升起一道彩虹，动物们在光的照耀下，想念彩虹色的花。故事的最后，太阳再度升起，春天来了，彩虹色的花又开放了。

许是天性使然，从一岁多开始，米尼就表现出对与"拯救""死亡""孤独"相关的词语和形象的兴趣。作为一个忧心忡忡、看过许多因为盲目沉浸于所谓的牺牲中而耗费自己人生价值的时代悲剧的母亲，我一直不愿意让他读这本书。

可是，这本书里有一个非常棒的小情节。彩虹色的花对各种动物一再忘我地给予——这时，冬天来了，她最珍贵的最后一片花瓣不是赠送给什么人，而仅仅是被一阵狂风吹走了。

这个情节，使本书从所有"牺牲套路"的书中凌越而出：生命不仅仅是付出和分享，最珍贵的时光往往是被风沙岁月浪费的。但没关系，死亡不是结局，生生不息才是生命的真相。

米尼两周岁前半个月，我拿出《彩虹色的花》读给他听。他果然敏感地、长久地凝视着"彩虹色的花折断"的那一页。"折断了？"他问我。"没错，这样的冬天，彩虹色的花死了。"我说。

后来我把他带到千手观音像前。"瞧，这个姐姐，她想帮助很多很多人，所以她长出了许多许多手，每当有人喊'救救我'的时候，她就伸出一只手，像彩虹色的花给出一个花瓣一样。因为她帮助人的心愿那么宏大，所以她的手数也数不清。"

"手上有船呢！还有花呢！还有齿轮！"米尼辨认着，欢欣鼓舞地说。他把千手观音叫做"彩虹色的花姐姐"。

他两岁的那个夜里，我们信步走到教堂前。这是米尼第一次见到教堂。"医院？"他辨认着十字架，说。我跟他说了耶稣复活的事。"彩虹色的花叔叔？"他默默听完，抬起眼又问。

我松了口气。我是说，像我这样普通又总是不够灵活的妈妈，在育儿过程中，竭力在自由和公共秩序中为孩子争取着空间。所幸有那些美丽的词：幽默、快乐、行动力、自然、宽阔……以及那些像彩虹色的花一样的榜样，在护佑我们的孩子安全着陆。

月亮上有只蟑螂的事

我伸手抓月亮。

发现月亮上有只蟑螂！

（那怎么办？）

"蟑螂！"

——就大声喊了起来。

一招抓住它。

月亮赶快跑走了。

（怎么处理蟑螂呢？）

把蟑螂送给垃圾桶吧。

（蟑螂愿意吗？）

蟑螂说："好！"

月亮说："好！"

垃圾桶对蟑螂说："来，你是我的好宝宝。"

请做"田鼠阿佛"的家人

有妈妈跟我说:"你一方面提倡每晚给孩子讲一个小时的故事,另一方面却要求讲故事时不要给孩子灌输任何人生道理。我实在想不通。那为什么要说故事呢?又有什么故事不包含人生道理呢?"

其实,几乎所有好绘本都不说教人生道理。它们津津乐道的多半是一段经历、一个过程、一个有趣的生活片段。《母鸡萝丝去散步》说的是一只母鸡饭后优哉地散步,想捕猎它的狐狸尾随其后,却一再失败。(注意,它没有说"善无为而久长""多行不义必自毙"。)《大雨哗啦啦啦下》说的是大雨前后一整条街的各种忙乱。(注意,它没有说"不经历风雨怎么见彩虹"。)《爸爸,我要月亮》说的是父亲用尽奇思怪想和努力为女儿摘下月亮,但女儿的月亮却得而复失。(注意,它没有说"爸爸非常爱你,什么都愿意为你做"。）……这是绘本们非常可贵的地方，它们没有在书后用蝇头小楷写上严肃的"这个故事告诉我们……的道理"。（许多传统故事书经常干这种事。）但是，所有绘本集合起来，却在告诉孩子：生命有千百条途径，你可以成为一只眼海盗，可以成为撑船摆渡的老伯，可以成为下大雨时咯咯叫的鸡，可以成为专吃月亮倒影的小鱼，可以成为高山上贫穷孤独的孩子，可以成为为吃一只鸡费尽周折浑身伤痕的狐狸……可无论你成为什么，生命充满奇趣，都值得你细细品味。

——这样的话，是说不出来的，它是你们所有共读共游的集合。像一大块五彩斑斓、由各种成分构成的晶石，像一个稳定的锚，一根定海神针，安放在孩子灵魂最深处。

但是，几乎所有人，包括我自己，都很难克制在共读的末了，跟孩子说"你看，这个故事想说的是……最坏的是……妈妈希望你做的是……"这样的话。我们的心归根到底充满高高在上的矜持，认为成功的生活是由"自己知道可别人不知道的道理"锻造出来的。但这些道理都不是生命的真相，只是把孩子们一点一点从自由自在的世界里抽离。

有段时间，我非常犹豫，不知道自己该在什么时候悬崖勒马，什么时候滔滔不绝。这时候，我看到一本对自己而言非常棒的绘本：《田鼠阿佛》。

《田鼠阿佛》的作者是知名的李欧·李奥尼。在两岁前的亲子共读中，我一直不认为他是个"必须推荐"的作者。这不是说他不好。用一个不恰当的比喻：在婴幼儿的阅读领域，他有点像里尔克、叶芝，而安东尼·布朗和汤米·狄波拉则像夏洛蒂·勃朗特。

前者把自己隐藏起来，有宏大、严谨、高度凝练却带有距离的哲学的人生系统；后者则天生就被商业化所喜爱，靠讴歌自己的个人经历和感情就能风靡世界。这样说，我没有任何厚此薄彼的意思。两岁半前的孩子多半更喜欢安东尼·布朗（《我爸爸》《我妈妈》）和汤米·狄波拉（《先左脚，再右脚》《楼上的外婆和楼下的外婆》）。因为他们的绘本里说的是婴幼儿们熟悉的事，可再大一点的孩子，当他们对色彩、形状，对审美和定义人生有自己更强烈的认知要求时，李欧·李奥尼就会像浅滩里的巨石一样显露出来，变成他们最强的挑战者和最好的朋友。

可我今天要说的不是李欧·李奥尼对孩子的意义，而是《田鼠阿佛》对我的意义。

《田鼠阿佛》，1968 年美国凯迪克大奖作品。说的是老墙上住着小田鼠一家，冬天快来临时，田鼠们忙着收集玉米、坚果、小麦、稻米，只有阿佛默默待在角落里。

阿佛，真是一只没有行动力的田鼠。当其他田鼠问它"阿佛你为什么不干活"时，它就耷拉着眼皮回答："我在干活呀——我在采集阳光，因为冬天很冷；我在采集颜色，因为冬天是灰色的；我在采集词语，因为冬天日子又长又多，我们会把话说完的。"

听完他的解释，田鼠家人什么也没说，它们忙碌去了。阿佛则兀自发呆。

然后，冬天真的来了。小田鼠们躲进山洞里，一开始，它们分吃各种果子。可后来，果子被吃光了，它们进入真正缓慢、沉默、难熬的隆冬。这时候，它们问阿佛："你的那些东西呢？"阿佛就开始向它们描绘，描绘阳光、五彩缤纷的颜色，为它们念很长的诗鼓劲。田鼠阿佛的家人纷纷鼓掌喝彩。

这就是《田鼠阿佛》说的故事。

这个故事开始让我大吃一惊。我是说，李欧·李奥尼真是完全不受任何传统童书观念影响的绘本作家。他的绘本（尤其是《田鼠阿佛》）处理并不投合和宠溺孩子。比如，画小田鼠一家，他没有按惯有童书的做法，画一只田鼠爷爷，一只田鼠奶奶，一对田鼠爸妈，他仅仅简单地画了五只田鼠，没有年龄，没有层级；画秋天或者冬天，他不画落叶飘飘或者白雪皑皑，你在他的画面上看不出季节的象征，只能看到颜色一点一点地减少——生活干枯了，冬天来了——而后，在阿佛说话时，颜色又来了。是的，李欧·李奥尼和所有怀着童趣和诙谐，想着"这样画孩子会喜欢吧？"而下笔的绘本作者不同。他只是疏淡地、尊重地等着你的心灵和这些画共鸣。

在看《田鼠阿佛》的这段时间，我心里藏着两个困惑。首先是共读上的，之前说过，我一直在想，"我真的可以只说故事吗？人生真的没有什么道理值得教授吗？"其次是育儿过程中的，米尼满两岁了，在孩子之间的交往中，他展示了我们很喜欢的特质：善意，允许分享。可问题也相应出现，他会遇到抢他东西、抓挠他、把他推在地上的孩子。遇到这样的场面，他总是显得困惑。即使跟他说"下次有人欺负你的时候要反击哦！"这样的话，也没什么作用。

这两个困惑，指向是相同的。作为妈妈，我必然要面对这样的考验，要不要强硬地把自己对社会的判定和经验告诉他。这有点像塞给他一把武器，尽可能多地保证他不受伤害——可是，从此他就要负戈旅行了啊。

在我看来，《田鼠阿佛》不是写阿佛，更多是写李欧·李奥尼心目中的"理想家人"——给孩子足够多的时间，放手让他自己去体验世界，去和世界万物交流。让他缓慢地，甚至屡次受挫地，按照自己的历程发现自我，发现美，也发现丑。

这样做，对孩子的家长来说，一定很不容易、很煎熬，很需要勇气和克制。但只要用包容的心等待着，总有一天，孩子会满载而归。

和这个绘本搭配着看的，恰好是《夏山学校》这本书。

教育家 A.S. 尼尔在夏山学校施行自由民主的教育方式，这种"自由民主"，让我们瞠目结舌：要不要上课自由选择，没有考试，完全舍弃训练、要求、道德与宗教教育。这样说起来似乎挺容易的。但当你知道夏山学校有学生长达十三年不上课，只逛游的时候，真的很难淡定。

我们对孩子天性的尊重，多半有个时间和心理底线。也许是半天、一个暑假、开学前的一年，也许是"只要他不给我添乱""只要他不被人欺负""提倡天性可以，但他得认同我是权威"。

很少有人能完全放下自我，让孩子按自己的意志享受属于自己的一生。很少有人完全相信"孩子的本性不仅善良，而且聪明、实际，大人只需让孩子们依自己喜欢的方式去做，照自己的能力去发展，他们就能成为快乐且富有创造力的人"。

虽然这个社会很麻烦，但试着缝住自己的嘴，放孩子闯荡看看吧——以田鼠阿佛的家人为样板，我一遍一遍对自己鼓着劲。

从那天开始，我就试着在翻过图书最后一页时，停下自己喋喋不休的嘴，总结说："故事说完了。"

万一米尼被欺负呢？嗯，那就让他被欺负吧。只要自信和被爱，被欺负着被欺负着，总有一天，他会对自己说："我不想过这样的日子。""这是不对的。"自己心里做出的决定，就好像自己选择拿起的武器，会知道要在什么时候出击，在什么时候毫无负担地放下。

无论是共读还是处世，即使是小宝宝的家长，都要学会微笑着等待。等待他们缓慢走过漫长的路，游逛着，或许误入歧途，然后，赶上你，或者超过你。

米尼写的诗

坐在妈妈怀里看书时突然想起的事

晚霞烫烫的,

妈妈,别摸。

太阳下山了。

月亮冰冰的,

星星也是冰的。

只有晚霞是烫的。

要小心。

安东尼·布朗的秘密

——0—2 岁宝宝眼中的《我爸爸》《我妈妈》

　　昨天有位妈妈留言说："我宝宝很喜欢《我爸爸》这本书。但很奇怪，他虽然跟我最亲，却一点都不喜欢《我妈妈》。"以前也曾有妈妈用开玩笑的口吻说起这件事。

　　这一奇怪的偏好，在米尼身上也表现得很明显：捧起《我爸爸》就笑逐颜开，翻开《我妈妈》就草草了事。

　　可我坚定地认为，这跟孩子"喜欢爸爸还是妈妈多点"这个问题一点关系也没有。

　　让我们用 0—2 岁宝宝的眼睛来看这两本书。

　　以下是《我爸爸》（中译，下同）的文字——

这是我爸爸，他真的很棒！

我爸爸什么都不怕，连坏蛋大野狼都不怕。

他可以从月亮上跳过去。

还会走高空钢索（不会掉下去）。

他敢跟大力士摔跤。

在运动会的比赛中，他轻轻松松就跑了第一名。

我爸爸真的很棒！

我爸爸吃得像马一样多。

游得像鱼一样快。

他像大猩猩一样强壮。

也像野马一样快乐。

我爸爸真的很棒！

我爸爸像房子一样高大。

有时又像泰迪熊一样柔软。

他像猫头鹰一样聪明。

有时候也会做一些傻事。

我爸爸真的很棒！

我爸爸是伟大的舞蹈家。

也是了不起的歌唱家。

他踢足球的技术一流，

也常常逗得我哈哈大笑。

我爱他，

而且你知道吗？

他也爱我！

（永远爱我。）

然后，我们看看《我妈妈》的文字——

这是我妈妈，她真的很棒！

我妈妈是个手艺特好的大厨师。

也是一个很会杂耍的特技演员。

她不但是个神奇的画家。

还是全世界最强壮的女人！

我妈妈真的很棒！

我妈妈是一个有魔法的园丁，她能让所有东西都长得很好。

她也是一个好心的仙子，我难过的时候，总是把我变得很开心。

她的歌声像天使一样甜美，

吼起来像狮子一样凶猛。

我妈妈真的、真的很棒！

我妈妈像蝴蝶一样美丽，

还像沙发一样舒适。

她像小猫咪一样温柔，

有时候，又像犀牛一样强悍。

我妈妈真的、真的、真的很棒！

不管我妈妈是个舞蹈家，

还是个航天员，

也不管她是个电影明星，

还是个大老板，她都是我妈妈。

我妈妈是个超人妈妈。

常常逗得我哈哈大笑。

我爱她，

而且你知道吗？

她也爱我！

（永远爱我。）

　　抛开前后文，布朗用十七幅画（其中深具勇气，不怕大野狼是跨页画）来展示孩子心中的爸爸形象，十八幅单页画来表现孩子心中妈妈的形象。而在循环往复的咏叹中，《我爸爸》只是简单地重复："我爸爸真的很棒！"《我妈妈》则力度叠进："我妈妈真的、真的很棒！""我妈妈真的、真的、真的很棒！"

　　但对两岁以下，用自有的、有限的对世界的认识和感受来阅读的宝宝而言，他们几乎立刻就能感受到这两本（表面上平分秋色的）书之中的巨大差别。

　　这个秘密，在于全部比喻句的喻体们。

　　《我爸爸》这本书中，和爸爸形象有关的所有喻体都具体可感。"大野狼、月亮、走高空钢索、跑步、摔跤、马、鱼、熊、猫头鹰……"如此诸物正中0—2岁孩子的关注点，他们马上觉得亲切熟悉，如见近邻。

　　有个爸爸在我的微博上开玩笑，说："在我们家，《我爸爸》这本书是被当作认识动物的书来看的。"他原意也许是自嘲他在0—2岁的亲子共读中，没有将孩子引向绘本所指的情感深处。但是，父母共读的第一直觉没有错！宝宝天生是热爱大自然，热爱小动物的。用这些共鸣物作为喻体，父亲的形象就在万物之中跃然而出。

　　但在《我妈妈》中，动物的比喻大幅缩减。相反，可以看到很多两岁以下孩子根本不理解的"社会角色名词"：特技演员、航天员、电影明星、老板、超人……米尼在这本书上停留最久的，是"她像小猫咪一样温柔"那一页，而对其他提到"社会角色"的页面，他总是毫不留情地匆匆翻过。对他们而言，这些页面里的"妈妈"，只不过是换了衣服而已！

我很喜欢研究"夸奖语"，喜欢怀抱着善意看人们被夸奖时眼睛里不由自主闪烁的光。因此，我对曾在广告圈混迹过，深谙文案之力的安东尼·布朗在《我妈妈》绘本中图文处理皆失利的状况感到奇怪。对许多0—2岁的孩子而言，《我爸爸》是本杰出的绘本，而《我妈妈》则充满了缺乏呼应的比喻句。这种场景，就像你穿着家居服在菜市场跟人讨价还价，突然有个羞涩的男人端详着你，夸奖道："你真是与夫君离散的珀涅罗珀，独一无二的杜巴利伯爵夫人，哪怕提着菜篮子都有大野洋子的风范，我要像帕特里克·德马舍利耶那样把你拍进我的取景器里。"听了那么一长串和你日常经验间隔十万八千里的话，再虚荣的女人都会翻脸无情地回答说："莫名其妙！"然后掉头而去吧。

《我爸爸》《我妈妈》的作者，杰出的超现实主义画家安东尼·布朗自幼年起就喜欢艺术，跟着父亲学绘画。五岁起就在父亲的酒吧里说故事给大家听。他和父亲的关系非常亲密——之后自己也成为两个孩子的爸爸。

——别误会，我并不是要带你陷入"他跟母亲关系不亲密吗？"或者"他妻子不是好妈妈？"这样的阴谋论里，而是想说，人只能描绘自己的灵魂。《我爸爸》这本书中，作者描绘了自己，而《我妈妈》这本书则是一个年长而怀有赤子之心的画家，向所有母亲致意的书。他通过自己的回忆——而不是婴儿的眼睛——看着妈妈。

安东尼·布朗和我们普通人一样，他的回忆穿越时光隧道，只能着陆在三岁时。那时候，他逐渐了解了属于自己的妈妈，并对属于社会的那部分妈妈有了眷恋和好奇。于是，我们得到0—88岁通吃的《我爸爸》，以及两岁半、三岁后孩子更能喜欢的《我妈妈》。

因此，在0—2岁亲子共读计划中，把《我妈妈》稍稍延后吧。也许孩子现在也喜欢，但还是把这本书当作需要时间发酵的情书更好。

另外，还是在《骑鲸之旅2》中说过的那句话，对孩子多使用比喻句。但要让比喻句成为有根之水，恰到好处地湿润他的心，点缀他的幻想王国。

当别人问起远去的爸爸

（别人：咦，米尼，你爸爸呢？）

爸爸掉到海里会淹死的。

他不想淹死，

就去北京了。

米尼也要去北京。

肯定要坐直升飞机去的。

因为直升飞机有方向盘呀！

可以左转右转，

还可以在云里面绕来绕去。

米尼要开飞机去北京，

所以先在马路上练习飞行。

（别人：哦，你爸爸已经去北京了啊。）

爸爸掉到海里会淹死的。

他不想淹死。

但他还没有去北京。

他现在还在家里，

很慢很慢地吃饭。

米尼要开飞机去北京，

所以先在马路上练习飞行。

什么地方都比不上妈妈的肚子

森林好漂亮呀！

大海也真漂亮呀！

可还是最喜欢妈妈的肚子。

我们回家吧。

（想回家了？）

想回到妈妈的肚子里。

（妈妈肚子里什么样？）

暗暗的，黑黑的。

（你在妈妈肚子里干什么？）

想着远远的狗熊和车

一会儿就睡着了。

0—2 岁
婴幼儿亲子共读的失败之书

我曾和许多怀抱雄心、激情与爱，誓言投入亲子共读的父母一样，站在五花八门的绘本架前茫然地咬着手指、四处找资料或求人给书单。一听到"这本书大名鼎鼎、获奖等身"就像抓到一根稻草一样急着将其纳入囊中，因此饱经失败。

至今还会遇到许多人，一见面就说："我的孩子多少多少个月了，麻烦你帮我列个书单。"——我不是能拍着胸脯、言之凿凿地为别人开详细书单的饱学之士，面对闪着狡黠眼神，永远和我们作对，也永远依恋我们的小宝宝更该慎之又慎。如果可以，我更愿意谈谈我在亲子共读中的"失败之书"。

米尼现在刚满两岁，拥有自己的藏书近五百本。其中三百本是我们常看且他非常喜欢的，还有两百本对 0—2 岁的他而言，是"失败的选择"。

我自诩是一个选书慎重的妈妈。在《骑鲸之旅1》中我曾经说过，自己的选书渠道多半来自：

- 国际获奖作品；
- 国内亲子共读推广人的书单；
- 某些结构严谨、有丰富经验的亲子阅读推广图书的内容推介，如《朗读手册》（吉姆·崔利斯）、《给孩子100本最棒的书》（安妮塔·西尔维）、《世界图画书：阅读与经典》（彭懿）、《我的图画书论》（松居直）、《喂故事书长大的孩子》（汪培珽）等；
- 购买排行榜；
- 开放式绘本馆或购书网的试读结果……因为绘本很贵很占地方，必须在购买前有充分的准备与决心，力求精准。我做的准备工作简直称得上"用理论武装到牙齿"。但即使这样，失败率依然接近40%！这是多么惨重的代价。

所幸，我所说的"失败之书"，并不是花钱打水漂的"无用之书"，而是不适合0—2岁共读。但它们的确是好书，是过两年孩子长大后肯定会喜欢的绘本。现在它们没有名分，却喧嚣地占据着我家两列沉重的书柜，坦然迎接我惶惑的目光。

这些"失败之书"中，有许多印着如雷贯耳的名字。如《七号梦工厂》（大卫·威斯纳）、《自己的颜色》（李欧·李奥尼）、《永远永远爱你》（宫西达也）、《花婆婆》（芭芭拉·库尼）、《极地特快》（克里斯·范·奥尔斯伯格）、《爱心树》（谢尔·希尔弗斯坦）……

没错，我特意列举其中最大名鼎鼎的绘本，只为挥舞棍棒，用力摇撼当初执迷的我和现在的你们，断喝"这些书真的不适合0—2岁宝宝，不要被其盛名给骗了！"

《极地特快》是个西方习俗文化下影响力巨大的绘本，"美国最受欢迎圣诞礼物书，销量超过700万册"，荣获大奖、长时间位列畅销书排行榜，是经典电影的原著。故事说的是相信圣诞老人的男孩在一个冬天深夜坐上神秘的极地特快，穿越千山万水、恢弘雪景，到达巨大的城市：北极。北极到处是圣诞玩具工厂，挤满成千上万的小矮人。圣诞老人派发的第一份礼物，是把他雪橇上的银铃送给这个男孩。但在归程中，小男孩把银铃弄丢了。到后来，回到家拆圣诞礼物时，他又收到了它——这个银铃的优美响声，只有孩子听得见。

给米尼读这本书前，我已经做好充分的铺垫。

第一，他有乘坐动车的经验；

第二，他喜欢《两列小火车》，对图画书描绘火车旅行有熟悉认知；

第三，他有一个相当近似的列车玩具。

我雄心万丈骑鲸而上，两分钟后铩羽而归，之后屡战屡败，惨不忍睹。我很快意识到自己失误所在：

第一，作为在靠近热带的岛屿上生活的孩子，米尼不懂"雪"；

第二，他对馈赠礼物的"圣诞节"毫无概念；

第三，最重要的是，《极地特快》中饱含的"失去和得到""信必成"的思想，他感受不到。

在米尼的阅读经验里，作为《极地特快》反例的，是《小猫咪追月亮》（说的是一只小猫误认为月亮是一盆牛奶，不停扑向月亮，却一再把自己摔疼，回家后找到为它留的牛奶的故事）和《两列小火车》（说的是两列火车如何翻山越岭，到达西方边界的故事）。作为页码相差不多、蕴含情感（或涉及事物）类似的绘本，他对后两者接受度极高。这是为什么呢？

二十二至二十四个月大，有充分阅读基础的孩子，可以放手共读有逻辑因果关系、有情节，并蕴含某种特定情感的读物了。但这类读物不宜太长；不宜交织两种截然不同的事物的讲述（一半篇幅讲乘坐火车，一半篇幅讲接受礼物，孩子势必对其中一部分产生疑惑与厌倦）；不宜有必须留到文末才能解决的悬疑（拜托！两岁的孩子不会在翻了十几页后，还把绘本开头的问题拿来问你，他们会忘记这个问题，然后跑出去玩）。他们喜欢在一两页间快速了解一个情节，喜欢不断重复的节奏和相似的内容。这样的故事对他们来说是可控的、亲近的。《极地特快》——最早留到他们三岁圣诞节看吧。

《花婆婆》说的是在花婆婆卢菲丝小时候，她爷爷要她"做一件让世界变得更美丽的事"。然后——卢菲丝真的度过了她经历丰富的一生（省略其中被米尼"不屑一顾"的五页），老年时她思考自己的人生（"思考"了两页），开始在海边散播花种，让小岛变得更美丽。后来，孩子们也开始学着她的样子，做"让世界更美丽的事"。

这本书简直把我和米尼逼疯了！没错，它非常有名，被许多图书推荐书单列为"两岁必读书"。但这本一会儿说爷爷做什么工作，一会儿说卢菲丝游历过多少地方，一会儿说孩子要以花婆婆为榜样，磨磨蹭蹭、交换多种视角和称谓的书——真的不适合速战速决的婴幼儿亲子共读，以致现在我每次看到它，就忍不住大声悲叹起来。

《永远永远爱你》——相信很多妈妈都曾看过它的动画片并流下眼泪。这本书说的是甲龙妈妈收养了一只霸王龙宝宝，和她自己的甲龙宝宝一起抚养长大。长大后的霸王龙宝宝经历了复杂的"身份认同"问题，终于意识到自己"非甲龙族类"，消失在密林深处。可是，甲龙妈妈还是"永远永远爱着他"。——你确定能清晰地和两岁的孩子交流"身份认同"的问题吗？宫西达也的"恐龙"系列确实非常好，但我建议把这套书的共读时间延后一点，等孩子到了分析辨别善与恶、深究"我从哪里来"的年龄再来读。是时，这套书能更好地发挥自己的作用。

"失败之书"《爱心树》和一些我非常爱的儿童诗绘本一样，是我的心中大痛。这些儿童诗绘本有：《你最可爱》（当当儿童绘本购买第一名）、《小岛》、《重要书》、《逃家小兔》（作者大奖作品）。米尼二十二个月时能结结巴巴地背读《逃家小兔》《亲爱的小鱼》《两列小火车》《圆圆的月亮》，这些简短又美的儿童诗至今仍是他的大爱——这个事实鼓舞了我。而结果，他一听到我念另外这些"稍微冗长但著名很多"的儿童诗，就像被针扎一样喊起来"不要！"，或者干脆视我为无物，兀自玩自己的玩具去了。说句残酷的话，读这些书，还不如拍着手一起念《心经》和各种唐诗呢，虽然同样不理解意思，但起码还朗朗上口、节奏喜人。

对进行亲子共读未满一年的家长和孩子而言，《七号梦工厂》和《海底的秘密》这类无字、单页多图绘本不是上佳的选择。这类绘本超出了孩子的能力范围，会让整个共读过程变得艰难，就像一个刚学习加减乘除的学生，你却想和他探讨 N 次方一样。

说到这里，我还有个提议，两岁以下孩子接触单页多图绘本，一定要非常慎重。这点是米尼教给我的。他有一本非常喜欢的绘本，即《爸爸，我要月亮》。这本书他从二十个月大时开始阅读，读了几百遍以上，完全理解其中的情节。但这本绘本中有"危险的一页"，整个跨页画着从女孩拿到父亲送给她的月亮时的欢欣鼓舞到最后丢失月亮的所有动作分解。一共八张图：接到月亮——跳舞——月亮被她抛向天空，并缓缓上升——她手上空空如也。这一页我们总是停留非常久。当我说"姐姐最后丢失月亮"时，米尼总要回过头指着同一页上"爸爸把月亮交给女孩子"的图像，吃力地辩解说："姐姐手上还有月亮？"重复了上百次后，我才恍然大悟，和我们不同的是，两岁前的孩子没有建立"图像从上到下，从左到右建立时间和逻辑关系"的阅读概念。这一页的因果关系，对它们来说是混乱的。（所以如果发现你的宝宝从尾向前翻书，请千万不要吃惊和阻止。）必须意识到，千百次说清情节，甚至当场演示情节的过程，就是帮助孩子厘清图像阅读顺序的过程。然而，即便如此，连续多页连环图像也不适合两岁以下的孩子阅读。

综上，我们很容易发现二十个月至两岁的婴幼儿们并非不能接受"有情节的绘本"。相反，面对——节奏简短重复、逻辑关系简单清晰、富有想象力（非常重要）但能联系到他们所了解的事物——这部分绘本，他们充满令人吃惊的斗志，能一次又一次攀上这些绘本所能及的情感和视野高度，与之共舞。我曾一次又一次因为见到这样的奇迹而惊讶不已，充满敬意。但是，作为婴幼儿，他们有"生人勿入"的边界。

上面我所罗列的几本名绘本，其实只是针对米尼本人，两岁前共读的"失败"。但我愿意以这些盛名之书作为棒喝，提醒自己在亲子共读初期的许多误区。写这个笔记的真正用意就在于，大家不用纠结哪本书被"追捧"哪本书被"抨击"。不用纠结共读（乃至教育途中任何随大流）的成与败。任何权威认定的成功或失败都是即时的。评判只有一个准则，即孩子的自由和快乐。

实际上，深入探究，这些"失败之书"暗中揭示的是我自大、功利、人云亦云、揠苗助长的内在情绪。我不能抵御的虚荣诱惑是："我花费那么多时间跟孩子读书，他总能在宝宝们中遥遥领先吧？""既然他对三百本绘本都有那么高的接受度，没道理不先一步接受跨龄的书！""别人都能读这些书，为什么我的孩子做不到？"这些想法，是亲子共读旅程中最大的心灵迷障。

所幸，我总是能快速承认失败，即使心里淌血地心疼钱，也能挤出微笑，和孩子一起坚决地把这些"失败之书"推到一边。因为，我对自己孩子与这段骑鲸之旅的信任度，远比所有大奖、推荐、购买记录高得多。

如果你现在再问我。我会列出以下几点：

1. 上文说的购书准备工作一定要做。它起码保证你 60% 以上的成功率。

2. 尽量避免买套书或绘本作家作品集。有些套书和作家作品集真的非常棒，比如"海豚绘本花园"系列、李欧·李奥尼作品集等。合并购买通常也会便宜一些（但非常少，顶多几块钱）。但你必须承担一个风险，即套书或作品集通常针对的年龄跨度非常大。除非你家有充分的空间囤书，否则还是先量体裁衣的好。

3. 压制自己的攀比心。孩子的天赋不同，面对的家庭环境和所经历的世界也决然不同。那种"各位妈妈都说这本书好，所以我的孩子应该读懂"的想法通常只会给自己和孩子带来痛苦。米尼长在海边，他非常喜欢和大海有关的书：《哈利海边历险记》《玩具船去航行》。他熟悉书中描绘的炎夏沙滩、波浪、岩石的罅隙和各种各样的船。但是，描述苦寒雪地的《月下看猫头鹰》《白雪晶晶》，那样的静谧、那样恢弘的大自然、那样阻隔且亲密的人与人之间的关系，他连一页都看不懂。这些书，只能作为世界其他部分的存在，像时间胶囊一样等待它的未来。所以，相信我，所有孩子能理解的书，都有赖于他所在天地与命运的教化。而所有孩子不懂的书：它们和钱已毫无瓜葛，只和时间达成契约关系。

4. 最最重要的一点。依然是我喋喋不休地想说的，在亲子共读中，"失败"远比"我孩子读了多少书"荣耀千倍。因为这代表你对他天性、理解力的尊重，代表你们已经开始划分沟通时的边界，代表着你爱他，远胜于爱"亲子共读"这个举动本身。

我想讲一个自己的故事作为本篇收尾。

从米尼二十个月大开始，我们要求他每天必须刷两次牙，夜里睡觉前要漱口。平时还好，夜晚要打断亲子共读，从床上站起来去漱口，总要和他进行一番搏斗！

"不要，不要！"他愤怒地说，因为我们打断他喜欢做的事，他简直气坏了。

家人想出妥协的办法，是把杯子端到床边，他只要从一个杯子里喝水，再吐到另一个杯子里——这么简单就行了。

可这依然遭到他的顽强抵抗。对孩子来说，在他们最专注的时候，一点点打扰都会被视为闯入神殿般的大不敬，无法容忍。

有很长一段时间，我采取一个"狡猾"的办法，每晚漱口前，都"恰好"读到《鳄鱼怕怕牙医怕怕》以及《小熊不刷牙》这两本有关牙齿清洁的书。

"如果不想见牙医，你要记得——刷牙漱口哦！"说完这话，"恰好"一个口杯出现了，他下意识地漱口，一切完美衔接。

"庆幸有亲子共读呀！"我这样沾沾自喜了很长一段时间。

可是，大概一个月后，我对山鲁佐德这类"每要做一件孩子不愿意的事就要编一个故事"的角色深恶痛绝。现在我做的，仅仅是把书一抛，然后说："哇，读累了，我要去刷牙了。好好玩呀！"然后自顾自跑出去，大声喧哗着倒漱口水，挤牙膏。米尼每每听得心痒，就会跟着跑出来，像一起玩过家家一样拿起为他准备好的漱口水和牙具，跟我头碰头地挤在盥洗间，用力刷他的小乳牙们。

我的孩子，不管读多少书，绝对不是为了读书而活着，也不会只靠读书去经历万物。"拿起权威书本就喋喋不休教育孩子该干什么"，这样的母亲角色——求我我也不干。拿着书本就坐而论道"什么对你好"，也许一时有用，却高高在上，充满距离与冰冷。

很遗憾，但确是现实。

任何不能鼓舞你和孩子手拉手，大声欢呼着，共同冲向世界和人生的书，无论多么权威、多么美，都是最危险且无力的失——败——之——书。

月亮，躲猫猫哦

月亮，躲猫猫哦！
躲到树梢后面去了，
躲到楼房后面去了，
躲到海那边去了，
躲到云朵里面去了。
月亮，来，坐这边，
一起玩，一起玩吧。

《在森林里》：
婴幼儿绘本中的《少年 PI 的奇幻漂流》

© Marie Hall Ets

有力量的奇妙绘本

我很久之后才意识到，在幼年时，我们多么缺乏生命和死亡的教育，以至于等到我们成年、老去后，想到死、想到重病、想到尸体，都和倒霉、肮脏、腐朽等反应联系在一起。没有敬畏，缺乏关爱，无法安详地接受命运。

当我们极度恐惧、极度忌讳谈论死亡时，信仰就很难成为真正意义上的信仰。它会沦为功利的麻醉剂。所有心灵修习会像鬼打墙一样在至关重要处绕弯路，你必须用一辈子积蓄的勇气来抵御幼年时影影绰绰留下的印记，像把借来的彩泥涂抹在坑坑洼洼的墙上，胜负尚无把握。

所幸，在我们孩子出生的这个年代，他们已经有很多非常出色的生命和死亡教育绘本：《再见了，艾玛奶奶》《獾的礼物》《爷爷变成了幽灵》《楼上的外婆和楼下的外婆》……这些温暖且有力量的绘本很有可能会在大人们未语哽咽、面露恐惧的时候，作为最直接、最有力的加持，陪伴孩子的心灵走过孤独、恐惧、不知所终的时刻。

没错，我们很爱孩子，因此我们希望把他们搂在怀里，让他们知道："不要害怕。什么都不要害怕。人世间最恐怖未知的事——死亡，和它所带来的痛苦、惊慌，都是自然而然会发生的事。"可是，对灵敏的孩子来说，这不是解释的终点。真正的孩童之心，是不接受任何结论的。所有定论对他们而言，都疑窦百出。这是最关键的地方，他们可以接受故事、历程、感受和体验，但他们勇于质疑所有结论。

就好像你跟孩子说："因为你穿少了衣服，冷了，所以会感冒。"很多孩子就会紧接下去问："那为什么人要感冒？人为什么要生病？"死亡也是一样。我们拿着绘本，跟孩子说："因为人老了、病了，所以会死。一个人的死会带给身边人悲痛，但这样的悲痛会过去的。这些事情是自然而然会发生的。"很多孩子会尖锐地问："为什么人要死？生命到底是怎么回事？"

然后，你们会进入一个问答的死胡同，人和人交流最困难、最难打马虎眼之处，一个非常尖锐的问题展露出来：最直接的生命和死亡教育绘本依然是一个"药丸式"的教育，它们不是真正的答案。

大人在书架上张皇寻找。此时，一本至关重要的绘本出现了，它就是玛丽·荷·艾斯的《在森林里》。

《在森林里》这本绘本显然声名赫赫。它曾荣获 1945 年凯迪克银奖，日本绘本之父松居直曾直言这本书是他"毫不犹豫"最钟爱的经典之作。在隐忍含蓄之道盛行的东方，许多绘本研究者将它列为经典图书。据我朋友介绍，它被当作临终关怀的重要书目……

可是——刨除这些，仅仅在亲子共读的夜晚，它真是一本很难述说的书啊！

《在森林里》展现的是作者玛丽·荷·艾斯用炭精笔一笔一笔画出的森林。小男孩戴着纸帽、手拿喇叭走进森林；午睡的狮子拿着王冠和梳子跟随他；洗澡的象宝宝穿上毛衣和鞋子跟着他；大棕熊拿着花生、果酱、勺子跟着他；袋鼠妈妈把小袋鼠放进肚袋里，袋鼠爸爸带上鼓跟着他；一言不发的老鹳跟着他；兴高采烈的小猴子们穿上最好的礼服跟着他；胆怯的小兔子蹦跳在他身边，跟着来了。浩大、喧闹的游行队伍在森林里散步，他们一起野餐、玩"丢手绢"和"钻城门"的游戏，他们还玩捉迷藏的游戏。小男孩闭上眼睛，等小动物躲藏起来。当他再度睁开眼睛，小动物们都不见了，爸爸从森林另一边走来。"该回家了。"爸爸说，"他们会一直等着你，下次再来一起玩。"于是，小男孩坐在爸爸肩膀上，冲着森林喊："再见啦！别走远啦！过两天我会再来找你们！"

《在森林里》说的就是这样一个简单的、黑白的故事。

当然，我们了解了这本书的写作背景后，就会意识到此书是那么意味深长。

这本绘本是玛丽·荷·艾斯五十岁"知天命"之作。这个命运多舛、羸弱多病的妇人当时获知自己深爱的丈夫罹患绝症。他们待在芝加哥郊外的森林小屋里，等待死神降临。在丈夫弥留之际，她创作了这本绘本。只要我们稍微想一下，就会意识到这是一个多么珍贵且难得的开示：一个背负自身苦难的大人，含着热泪，心里包裹着死亡和所有灾难，却仍然带着勇气和微笑，温柔地对所有孩子俯下身去，敞开怀抱，指点给他们看——

看哪，孩子们，来这段奇幻的旅程里吧。许多美妙和注定好的东西会如影随形：权势、口腹之欲、家庭温暖、年岁、华服珠宝、爱情……可以玩热闹的游戏，尽情享受喧嚣和欢乐。然后？然后啊，突然他们都躲起来了。没关系的，这个时候，生命的实相会来接引你。这段奇幻之旅，这样的人世间，我们可以千百次去而复来。

——这是一本无比奇妙的绘本。明明那么爱、那么火热、那么悲伤、那么无奈，却那么克制、那么包容、那么虔诚、那么平静。它可以和所有成年人的传世之作享有同样的至高荣誉。因为它们都有一个特质，即：以历经百劫之心，凭千钧之力，讲述一个最简单、最小、最深刻的故事。

这是最难达到的。

接下来的问题顺理成章：你怎么和一个两岁的孩童讲述这么一本杰出的心灵之书？

怎么共读《在森林里》

所有"有野心"的共读妈妈，都会认为讲述《在森林里》是件极其痛苦的事。有一段时间，我甚至不知道如何表达这种痛苦。

后来，我和朋友一起看了《少年 PI 的奇幻漂流》，电影院里有许多观众是举家前来的。孩子们开心地说："来看动物片！"

《少年 PI 的奇幻漂流》讲了两个故事：印度男孩和孟加拉虎的"奇幻漂流"；印度男孩和落难同胞血肉相残的"残酷现实"。当电影结束，影院里灯光大亮那一刹那，坐在我前排的一个妈妈看着她七八岁的孩子，皱着眉头抗议："第二个故事我孩子肯定看不懂啊！"

一瞬间，我醍醐灌顶。

无论是《少年 PI 的奇幻漂流》或者《在森林里》，都向大家表明，人生中充斥着"双重故事"。两个故事只有在互为表里、互为镜像时，才会充分地显示力量。只有知道绘本作家玛丽·荷·艾斯的痛苦，才能发现《在森林里》的内涵并得到开示；只有感受到无常和灾难对一个人有多么残酷，才能因为"纯真之力有如猛虎"而流下眼泪。

重要的不是哪个故事值得采信，或什么才无限接近真实的人生，而是：什么人，用什么方式，描述了什么样的世界。不！不！这也不是最重要的，最重要的是，你的所有经历与记忆，给你的心留下了什么。

原来是这样，人生需要靠那么多重的罗生门式的叙述，才能得到一个最简单的答案。而最后被你采用的答案，就成了你的信仰，你此生的课业，你的生命超越生死之后留下的东西。

是这样啊。在电影院灯光亮起来那一瞬间，我全心全意想着我的孩子。我突然意识到，《在森林里》这本绘本，它不可能"共读成功"，却必须用我们的一生"持续共读"。

作为追求成功的共读者，我突然一溃千里。但作为妈妈，我骤然勇气百倍。

到底怎么共读《在森林里》

回想起来，我们找了一个很有利的时间第一次重点阅读《在森林里》。那天我们举家爬山。在延绵的、空旷无人的山路上，仿着《在森林里》中的画，玩搭火车、过隧道的游戏。第二天，米尼的爸爸回北京工作了。我们母子俩倚靠在被窝里，翻出这本书。我给他读了另一个结尾——米尼现实中的结尾——爸爸和米尼在森林里玩捉迷藏，米尼一睁眼，爸爸躲起来了。"爸爸，爸爸。"米尼对着森林喊，"你去北京了吧。再见啦，再见啦。过两个月我们再一起玩。"和往常一样，米尼非常欣喜能从绘本中映照出他自己的经历。他看了我一眼，真的对着绘本里的森林喊："爸爸！再见！再见！过几天再一起玩哦！"

从这个角度说，《在森林里》的第一个魔法在于：它是一本能够不断被放大，且必须通过不停加入孩子亲身经历，用演绎来贯彻和巩固阅读的书。

就像所有最简单又最富含哲理的书一样，《在森林里》给孩子纯真的初心提供了广阔的、可继续搭建的平台。父母没办法让两岁（甚至十岁、十二岁、十八岁）的孩子领悟绘本作者玛丽·荷·艾斯的痛苦与经历。这个情况下，共读时你们可以利用的只有一个故事，即绘本本身的故事。但是，你们可以把自己的故事叠加进去。我们每个人的故事里——哪怕是两岁孩子理解的故事——

都有过告别、离开、失去，有过爱和悲痛。在共读中，父母要做的，就是在《在森林里》的基础上把另一个故事叠加进去。

这是个魔法钥匙，在这样的阅读中，《在森林里》的能量被呼唤出来了。孩子在故事里，在自己的想象中，将残酷却无法表达的事实，不断地放下，和它们做着自己独特的告别。

《在森林里》的第二个魔法，在这本书的最后一页。

这是最奇怪、最显得多余的一页。

明明故事已经结束，但作者多画了一页。这一页里只有一片森林，没有人、没有动物。

孩子们比大人更敏锐地感觉到这一页的奇异。在第二次读这本书时，米尼就指着这页问我："小动物呢？爸爸呢？米尼呢？都到哪里去了？"

我解释不出来。

在彭懿的《世界图画书阅读与经典》里，曾提到一位日本女读者对该页的解释："这片一个人也没有的树丛，就是当时绘本作者的心象。"彭懿接着解释说："心象，即心中的风景。这是作者心中的森林，是她所爱着的人任何时候都可以归来的森林。"

但在第十次和米尼阅读这本书时，米尼再一次冲着这空荡荡的森林喊："爸爸，小动物们，再见！再见！过几天再一起玩哦！"在这样认真而稚嫩的呼声中，我用力抱紧他——这时我意识到，这一页空荡荡的森林，也是一个镜像。刚满两岁的米尼，在其中看到了和爸爸最难舍的分别与必将有的重逢。而对作为妈妈，成天担心着收入、事业、家人健康的我而言，我感觉到的是森林如无常一般神秘与威严。

这一页，是最后的答案。但作者没有能力绘出它，因为每个人都有自己的回答。

因此，共读时，到这里请一定要停下来，留点时间让孩子告诉你，在空荡荡的森林里到底躲藏着什么——听听他灵魂里的声音。也许你能看到他的心象。

《在森林里》的第三个魔法，在于它是一个循环往复的开示。

所有的经典都经得起人们在人生的每个阶段重复阅读。那是因为，它们只提供了第一个故事，而慷慨地把另一个故事的创造权给予你和孩子。在此基础上，你和孩子可以无数次肆无忌惮地搭建，经历无数分离告别，期待无数个"过两天"的重逢，不停地进入、不停地背负、不停地放下。

但这仅仅是《在森林里》在内容上的作用。

它最重要的魔法是，在我自认为醍醐灌顶的那一刹那，我和米尼的亲子共读方式已经有了改变。

没错——你们意识到了吗？不是只有李安、玛丽·荷·艾斯和我的法师朋友他们可以讲两个故事，不是只有《在森林里》是个敞开的绘本。

所有绘本——这个世界所有的创作、所有的历史、所有的叙述——对孩子而言都是敞开的，都是他们遇到的"现实故事"。而共读的指向，恰恰是要前进到另一个故事中去，到奇幻的、不屈的、百战百胜的、充满信仰和真谛的王国去。

没错，当亲子共读进行到《在森林里》，当孩子对着空无一人的森林，勇敢地喊出他心里的话时，真实和幻想在这一瞬间无缝衔接了。骑鲸之旅开始进行新的旅程。

在共读时，当平静地读完某个绘本后，你可以留出一点时间，和孩子缔造你们自己的故事。而且，你可以让这个能力延续下去，使幻想的魔法延续在你和孩子的一生中。

这看似无用却奇特的魔法里，有一种至关重要的伟大能力，足以对抗平庸、琐碎和不乏丑恶的现实人生。

在海中间看到远方的爸爸

爸爸，大海把石头都淹没了呀
可是，石头很高兴
它们对大海说："谢谢你。"
看到你在海中间挥手了呀，爸爸
波浪一滚一滚的。
我和妈妈站在石头城堡这边看你
爸爸！
爸爸！
爸爸沉到海里面去了
遇到小乌龟了
小乌龟说："谢谢你能来救我。"

0—2岁婴幼儿专注力培养之己见

在亲子共读中培养专注力，我和米尼是从他一周岁九个月时开始的。在此之前，我们有意识地去做的，只是"不打扰"而已。

不，确切地说，在家里，所谓"不打扰"策略也贯彻得不好。我们家人多，每个人都玩心重，所以他独自待着的时间很少。

所幸，因为住在海边，他从还是个两个月月龄的宝宝时，就几乎每天都有三四个小时的时间混迹在沙滩上。等到可以撒手走路后，他就满沙滩自己跑。孩子独自面对大自然时，他们相互的作用力就显现出来，让人肃然起敬。大自然会用力和美、危险和诱惑给孩子巨大的开示，无时无刻不在引导生命成长。即使大人不说教，幼小的孩子也会很快领会在此生存的规则，领会行为的边界。

孩子与大自然静默相对时，是最专注的。这种专注力远超越了他年龄的限度。因此，如果你的孩子常置身于大自然中，你只需要和他一起去感受，感受每一股风、每一个罅隙、每一个老鼠洞、每一朵浪花。只要遵从他的天性和耐心，尊重并安静地端详这个世界，让世界如湖心之月，全然投射在他的心象上，就是对他专注力最好的培养。

关于亲子共读时的专注力培养，一开始我们几乎是无意识中进行的。一周岁九个月的孩子，面对的课题多半是"认识动物""认识颜色"。我和米尼经常在绘本的跨页大图上比赛找动物，找车子。他尝到了"找到了"的乐趣，成就感大增，常常会要求"还要找！还要找！"。

作为一个母亲，之前，我很排斥"为了增长孩子某项能力特地进行某种课程"的想法，觉得目的性太强，缺少随性自然的乐趣。但那段时间我在看佛经，陆续接受许多"被习气束缚的心灵需要修习"的上师忠告的冲击。反观自己左顾右盼、分分秒秒都受着外界侵袭和干扰的心，觉得羞愧。

真希望自己的孩子有所定见啊！——当时我这样想，只有专注的人，才能心无旁骛地走自己的路，才能听到天地之声。从那天开始，我就自己着手给米尼制定了一些很基础的"专注力培养"规则和教程。

"专注力培养"规则和教程

1. 当孩子全神贯注沉浸在自己喜欢做的事情中时，不打扰——这就是你们专注力的共同修习。（即使不共读也可以修习，这就是很多上师说的"分分钟都是心的禅修"的道理。）

2. 共读时——哪怕是进行共读的表演、嬉闹等活动时，尽量圈定参与人数，从头到尾不加入其他人。使每一个过程善始善终，这也是专注力的修习。

3. 不要在意时间。你会发现，专注本来就与时间、流言、外部环境是死敌。如果你要求孩子专注，就放弃对"哎呀时间快到了你快点""哎呀别人都做到了你怎么还没做完""人都走光了我们不能再待下去了"的执着。平时全身心投入，关键时刻才能呼唤专注力的加持。

4. 不要把专注力限定在某个方面。在日常生活中，尽量少说"只要你看书专注就好了""做作业专注点"这样的话。在每个细节上，在一天的任意时刻里，都可以培养孩子的专注力。并不是只有在书页、电脑和玩具上才能玩"来找茬"的游戏。这个世界就是你们的图纸。当你和孩子不断学习，随时端详和领悟这个世界时，变化真的会发生：你会发现自己和孩子的数息变长了，你们俩都不再那么容易发怒焦躁，会发现外部世界有很多意外，会发现你们俩的视野角度不同，但总能给予对方惊喜。瞧，心灵的专注力真能导向世界之美。

　　虽然说得那么好听，可我和米尼还在专注力学习非常初级的阶段。成果仅限于在他聒噪的时候喊："快！找找红色车盖的车在哪里？"然后两个人静默下来，蹲下身缩在天桥桥墩下忙碌地四下看；以及在家人走来走去大声说话时，我能在敞开式书房里写下一篇篇稿子——如此而已。尽管这样，这专注力初显的魔力，已使我们受惠极多了。

回到亲子共读的专注力课程，现在我试着列下之前整个过程中对我们特别有帮助的绘本。所谓"特别有帮助"，指的是"适合孩子观察和寻找，能直接给孩子成就感，鼓励他们强化自己专注力"的那些书。

《鸭子骑车记》——这本绘本的跨页大图，是米尼主动寻找微小事物（如老鼠）的开始。选这本书不是说每个孩子都得从这本书开始，而是说，许多绘本大师其实都会在绘本里加入一些小细节，包括《晚安，大猩猩》里的小气球、《大雨哗啦哗啦下》里的车子排序等。善用大跨页、注意小细节，是共读时强化专注力的第一站。

"开车出发"系列——选这套书，是因为：

1. 全景图书对培养孩子的专注力益处很大，视野变大，挑战更大，如果他们在之前的跨页大图的搜寻上已经熟练，可以引入全景图书作为通关考验的第二站。2. 我想说的不仅仅是"开车出发"系列，实际上，这里提到的所有书目都是可变的。我想说的其实是"开车出发"系列所代表的意义：孩子的专注力培养，要从他们感兴趣、愿意专注的事物开始。米尼最感兴趣的是汽车，他乐于在"开车出发"系列的书里进行寻找，如果你的孩子的兴趣点在其他方面，就不要拿这本书作为第二站。

如果孩子通过全景图书搜寻关（米尼是在一周岁十个月到一周岁十一个月左右时），你们就可以放手做、经常做"城市搜寻"了。具体方法就是站在某个地方，观察人群、观察景物、观察海报、观察霓虹灯……提出你的搜寻要求——孩子会非常喜欢这样的游戏。

回到共读，这段时期，五味太郎的一些书，如《小金鱼逃走了》《黄色的……是蝴蝶》《宝宝创意大发现》，开始显得非常重要。孩子开始面临更大的考验：事物会经常改变颜色、形状，哪怕一堆相同的事物，细节也不尽相同。这个阶段会比之前的阶段更难，尤其对未满两岁的孩子来说，他们会隐约感受到前所未有的压力。孩子必须花更多的时间，才能获得成功。（一开始还会屡遭失败。）

这时候你要做的是

A. 坚信。如果不是太超出孩子当前认识阶段的范围，你要做的就是告诉自己"我们能做到"，并为此付出努力。

B. 努力表现在两个方面：其一是多向孩子描述实物的细节。比如五味太郎的一幅画里，画着两只公鸡，附文问："哪只公鸡带着手套？"如果孩子不认识"手套"，这样的寻找是无望的。寻找，要回到生活里，长期坚持不懈地向孩子描述实物（手套、牙刷、保险杠、方向盘……），让孩子感受它们的颜色、形状、温度、棱角，这样的努力会在搜寻中显见成果。其二是欢欣鼓舞地接受"失败"。每次米尼搜索错误，我会跟他说"哇，是很像，但不是"。大家也可以找找适合自己孩子的否定句。搜索的意义不在于结果，而在于过程。如果孩子没有如愿与目标相逢，却因此得以发现另外的天地，也是美事。充满鼓励而决不气馁的寻找，是非常重要的爱的表达。

回顾一路而来的过程，第四阶段是个"槛"。经过这个阶段，孩子会开始自主的、竞技式的、快乐的寻找，并乐意在寻找中享受成就感。当时，我们接触到一本非常棒的绘本——《打瞌睡的房子》。我把它放在第五阶段，只是因为它出现在米尼和我视野中时刚好是那个时候，实际上，它自身包含的阶梯训练可以涵盖专注力训练的前四个阶段。一个封闭的房间，里面睡着一个孩子、一个老奶奶、一只狗、一只猫、一只老鼠，还有一只不睡觉的跳蚤。光线、事物在每一页都有一些移动。孩子可以从找小男孩开始，然后进阶到找猫狗、找老鼠，最后到找跳蚤。这是一本从易到难逐步展开训练，诙谐、好玩，充满关联性的，非常美的绘本。

在第六个阶段，我和米尼已经沉浸在寻找的乐趣中，希望挑战"单纯寻找"的书。这时候，米尼跨入一周岁十一个月，很活泼好动，但在寻找时可以专注很长时间。他需要竞赛和挑战。寻找有什么，拿着挎刀站在他面前，击垮他的毅力，或者仰望他的毅力。一开始，我们看了林怡的适合2—4岁宝宝的《宝宝观察力训练》。这是一套很不错的书，但对米尼来说已经浅了。后来我找到了《我的第一本专注力训练书》。这本书的考题中，有一些考验对未满两岁的孩子来说，是非常"残酷"的。但刚刚好，专注力需要置身在孩子力所能及的"残酷考验"中来锻炼。那段时间，每个晚上，我们家人轮番被米尼要求"一起比赛"。每次比赛时间长达四十五分钟到一个小时，比赛结束时他还意犹未尽。到两岁时，那本书已经被他找烂并全部考题都被完成。（除了两三页关于数字的页面——他还认不全阿拉伯数字。）

我不是要说孩子多棒，而是说，专注力训练真的有效。我在跟他一起进行训练的过程中，也意外地发现自己能更沉着，能比较容易对焦虑的情绪说"停！"，能瞪大眼睛去寻找注定相逢的意外之喜。心的修炼如此重要，而过去几十年我忽略了它，我对自己深感抱歉。

经过第六阶段，很长一段日子我不希望他再长时间地做按图索骥的寻找。我们加大了"城市搜寻"的难度和次数。还加入了一些游戏。

A. **扑克游戏**。这是王人平老师微博推荐的游戏。有很长时间我们经常练习。拿三张牌，一张红心，两张黑桃，覆盖住，不停调换位置，让孩子找出红心的位置。(对更小的、容易混淆颜色的孩子，或者想增加趣味的孩子。可以是，拿三个杯子，其中一个杯子里有小草莓，覆盖住，不停调换位置，让孩子找出草莓在哪个杯子里。)

B. **滚珠游戏**：这是我信手拈来的游戏。弹珠棋盒有很多凹槽，放入弹珠，使其滚动同时保持平衡，直到弹珠全滚入凹槽内，可将弹珠数目不断增加以增加难度。这个游戏对数息观察很有好处。米尼最近非常爱。

C. **顶书站游戏**：这游戏也是我们玩闹的时候发明的。顶着一本薄薄的小书走直线，必须抵御旁边人的各种干扰。这个游戏比较难，现在米尼处于"能顶着书两秒钟就胜利"的状态。

最近，我们引入的是《图画捉迷藏》（彩色版）和《谁藏起来了》这两本寻找书。《图画捉迷藏》真是非常难！我们全家凑在一起做，我还经常偷看书后的答案，进展都很缓慢。但在练习这种将相似形状的物体故意混淆进行寻找的图书时，孩子卓越的想象力和破除常规、无边界的接受能力就会跑在大人前面。米尼常能找到我们认为"不可能在那里"而放弃寻找的物体。

《谁藏起来了》这本书，不仅考验专注力，也考验记忆力。也许这是很自然的事吧，专注当下，却记得每一个领悟。这是米尼最近每天晚上都要求看的书。

上面谈到的这些，是近半年来，一个妈妈在两岁孩子的专注力修习上的浅见。实际上，我也是摸着石头如履薄冰地行走着，失误连连。但回头看来，最重要的依然不是书，不是"孩子处在哪个阶段"，而是孩子悠然谛听凝视世界的能力。

安静下来，和孩子全身心投入到世界里。这样专注而无言的时刻，也是爱的表达。

米尼写的诗

在黄昏的沙滩上玩

我抬头找月亮

可是，看不到。

空空的。

晚霞再也看不到了。

大海进入沉沉的梦乡。

PS：这是今天黄昏米尼在海边说的话。其实我不那么喜欢这句话。它有点儿媚俗的流行曲味儿。让我高兴的是另一件事——

昨天，他把一片"黑色的草"（其实是不知道什么人丢掉的黑色皮革）埋在沙堆里。今天想着去找，却找不到了。"黑色的草呢？"他问我。"问问大海吧。"我回答。我们一起竖着耳朵听。秋天的海风真大呀。我搂着他的肩膀，站在涨潮且阴暗的海面前。

"大海怎么说？"我问他。"大海说：'草没有了。'"他回答我，然后跑开，再也不想"黑色的草"的问题了。

过了不久，他把玩具乌龟和冲到浅滩上的小死鱼落在海里。潮水很急。只一转眼，都不见了。"问问大海吧。"我跟他说。

"大海说：'（他们）回我们家了。'"他伫立良久，倾听，然后告诉我。因为乌龟和小死鱼都有了归宿，所以，我们手牵着手开开心心回家去了。

这真好。米尼，比起能说几句美丽的话，倾听的能力更为可贵。当你为自己空空如也的心寻找什么时，不要着急倾诉，用耳朵听。天地万物会把真相告诉你。

绘本中的"幻想王国"

记得在阅读笔记的开篇我就曾说过："0—2 岁的亲子阅读就像一场骑鲸之旅。你在生命的海洋遇到一只通具人性、却无法表达的小鲸鱼。你们一见倾心。但它有自己无限无垠的好奇心，有自己宽广无边的大海……"你们将一起共游，要去向何方呢？

是啊，当很多父母第一次捧起书，俯身对懵懂的孩子说"来，孩子，我们的旅行开始了，一起共读吧"时——在这对彼此一生有重大意义的时刻，甚至成年人自己都不知道，这段旅程究竟指向何方。

于是，我经常遇到这样的问题："共读是为了开发智力吗？""是为了对孩子不停地表达爱吗？""是为孩子们建立至高至善的道德感吗？"——没错，坚持不懈的亲子共读肯定会带来以上好处，但这些都不是骑鲸之旅直接且最终的目的。

骑鲸之旅究竟要去向何处——在无数重复的、或喧闹或安静的、混杂着重重失败却持续向前的夜晚之后，对我而言，这个目的地如拨开重雾般渐渐明晰。

亲子共读的目的地，是幻想王国。

幻想王国存在的意义

现在，请爸爸妈妈闭上眼，进入自己的内心世界。我是说，和工作、婚姻、育儿、职称、银行卡数字、化妆品、房契等现实环境无关的那部分内心世界——你还能明确感觉到它的存在吗？它还和十几年前一样栩栩如生，充满昂然的生命力吗？

许多被划分为"儿童文学"的伟大作品，都致力于展示幻想王国。通过无人问津的站台（《哈利·波特》），古宅里的衣柜（《纳尼亚传奇》），一本老书（《永远讲不完的故事》），一扇破旧的门（《鬼妈妈》），或者经由兔子等动物引领（《爱丽丝漫游奇境》），就一定能到达那里。在童话书里，有时候，万事万物都是通向幻想王国的途径；有时候，幻想王国毫不留情地对人们封闭了，让人们迷失其所在。

——不，这不是"儿童文学"，这应该是日常生活最基本的常识。

我们每个人的心里都存在两个世界：现实世界和超验世界。现当代无数心理学名宿也说明了"我"之建立，是多层面的合力。说到"现实世界和幻想王国"，日本教育学家蜂屋庆有一个"此侧世界"和"彼侧世界"的理论，可以作为参照。"此侧世界"

77

是"技术性的世界","彼侧世界"是"超越性的世界"。他指出，现代教育的盲点，就是热衷传授孩子掌握技术和知识，而忘却了超越性世界的存在。

是啊，作为爸爸妈妈的我们，虽然尤在盛年，但已有几十年人生可以回顾。扪心自问，大家可以轻易感知，每个人的心灵都是"现实世界"和"超验世界"互相依存的。当我们狞笑着驳斥道"那些幻想事件都在乱编！"的时候，要怎么解释：你享受在网络游戏世界无所不能的快感，你觉得网恋颇有情趣，你会为了某张明信片某句台词泪流满面，你喜欢过玩 COSPLAY 的圣诞节和万圣节，以及——可能不合适——某部分宗教情结?

任谁也无法否认想象力的宏伟魔法。幻想王国毫无疑问存在在每个人心里，对人生发挥着巨大作用。在婴儿——儿童——少年期，那些内心幻想王国足够强大——足以支撑和自我解释外在世界的人，会快乐成长，一生都受到正面情绪感染。相反，那些内心幻想王国被压抑、被堵塞、被践踏的人，会人格扭曲，会长年陷于无法自满自足的状态，会渴求，不断渴求被爱，会迷信，会永远长不大——因为他们从来没有自然地成长过。

所以，骑鲸之旅的目的地看似如此玄奥，实际上却极其简单。我们只要和孩子们在幻想王国待得足够久就好了。"亲子共读"是一个非常伟大的"通道"：我们家的书架就是哈利·波特的站台，是通往纳尼亚的衣柜，是魔毯、破门、水晶球……当我们把孩子搂在怀里，翻开一本绘本，读给他们听，或者耐心听他们自己说时，幻想王国便在语词里影影绰绰地展露它的国土了。

对孩子的心灵而言，这是何等号角嘹亮的时刻啊！在他们天马行空，却始终独自而战的幻想王国里，出现了一个护卫骑士。这个人愿意相信他，愿意和他一起等候幻想的奇迹。对他而言，这就是最大的爱和信任。

因此，亲子共读中推崇的最大魔法应该是想象力。因为想象力，是缔造世界与心灵最根本的作用力。

那些和幻想王国息息相关的绘本

毋庸置疑。所有绘本都充满想象力。但哪怕父母把这世上所有绘本、所有图书一股脑读给孩子听。这些汗牛充栋的读物，也不过是他心中广袤无垠的幻想王国的冰山一角而已。

对父母而言，这是最大的幸运，也是最大的悲伤：耗尽唇舌，我们仍然无法替孩子思考与生活。我们没有能力替孩子缔造他们的幻想王国。

不过，神奇的阅读魔法仍然有效！

在0—2岁的亲子共读中——颠簸在懵懂小鲸鱼四下嬉戏的背上——会有一些非常好的绘本，像最直接的途径，让骑鲸之旅快速靠近幻想王国。

这些绘本有：《月光男孩》《爸爸，我要月亮》《阿罗有支彩色笔》（"阿罗系列"）《野兽出没的地方》《第五个》……

《月光男孩》说的是一个从天而降的故事。月光男孩为了完成月亮的嘱托，从天上飞下，展开一场奇异旅程：穿越云层——遇见飞机——遇见飓风——遇见候鸟——遇见风筝——遇见蜻蜓、小鸟——遇见摘苹果的女孩——遇见打扫烟囱的男人——遇见街道——掉入水里——遇见群鱼——最后找到镜子，带到天上。竖长开本中的画像高速摄影机拍下的画面，在孩子的视觉上留下"连续下落"的印象。

对那些总是好奇着"我们怎么到月亮上去？""天空上究竟有什么？"的孩子来说，这是一本反其道而行之，现实脉络与奇特想象无缝结合，且足以让他们屏息观看的绘本。"原来是这样，扫烟囱的叔叔比街道上的人更接近蓝天，爬到树上的姐姐可能会遇到气球，飞机并不飞在月亮边上"……我们曾在一个高楼的平台上读这本书，当时晴空万里，整个天地朝我们敞开其自有的脉络。当时未满两岁的米尼带着吃惊又若有所悟的神情想着这些事物。我们坐观景电梯下去时，我大声对他说："米尼！你就是月光男孩呀！"他"咯咯咯咯咯"大笑起来。

与《月光男孩》在题材上类似，但内容上大相径庭的另一本奇妙绘本，是《爸爸，我要月亮》。这本绘本，是米尼从十八个月大至今的最爱之一。

《爸爸，我要月亮》讲了一个父爱的故事。为了圆女儿小茉莉"要月亮"的愿望，爸爸搬来很长很长的梯子，放在很高很高的山上，并说服月亮变小，好把它带回家。艾瑞·卡尔用彩画中的拼贴技巧，使书页能够折叠、水平张开或垂直延伸。用突破极限的设计，体现楼梯之长（暗喻父爱之坚韧）、天之高、月亮之大。

这是一本哪怕一岁多的孩子翻开，都会因为书页突破了他的想象极限，而瞪大双眼，"哇"一声叫起来的绘本。一个初秋的晚上，在大海边，我和米尼一起回忆这本书。手拉着手，一起念着"拿来很长很长的梯子，放在很高很高的山上"，爬上高耸的沙堆。月圆如盆，我像书里画的那样，让米尼坐在我肩膀上，两个人用力朝上，月光就这样洒满全身，洒满沙滩，洒满海面。

两岁前后的孩子，开始迎来第一个自主意识萌发期。相信自己无所不能，跟着自己的感觉和想象力笃定而奋勇地朝前。这时候，《阿罗有支彩色笔》（"阿罗系列"）能给他们极大的自我满足。本书的作者克罗格特·约翰逊是当之无愧的艺术巨匠。他用低幼的人物（走路蹒跚、懵懂又勇往直前的阿罗）、低幼的逻辑、低幼涂鸦式的线条，展示了一场又一场惊心动魄的冒险，展示了一个世界的由来。对信手涂鸦，自信能过关斩将、一路凯歌闯荡世界的低幼宝宝而言，这是一本多么适合的励志书呀！

但是，请注意了。我们所说的关于想象力的绘本，并不是全然指"想象那些美好、快乐、宏大、勇敢事物"的绘本。每一个人，哪怕是低幼宝宝，充溢灵魂的想象力也是全景式的，是裹挟着所有情绪的。幻想王国并非全然是善，它也充满着嫉妒、恐惧、傲慢、孤独、愤怒、欺骗……没关系，这些情绪也在助人成长，助人心灵成熟。因此，谈到"与幻想王国息息相关"的绘本，我们必然也会谈到"因为负面情绪而引发想象"的那些高妙绘本们。

《野兽出没的地方》被誉为"第一本承认孩子具有强烈情感的图画书"。它说的是麦克斯受到妈妈的惩罚后，用自己狂野的想象来反抗。他幻想自己到了一个野兽出没的地方，成了发号施令、无所不为的野兽之王，一个全能的支配者。通过这种幻想的权力和破坏力，麦克斯的负面情绪得到了安抚。

本书的作者莫里斯·桑达克认为，孩子总会在日常生活中感到愤恨，在遇到挫折时感到无助。这些情绪是他们难以控制的危险力量。"为了征服坏情绪，孩子们求助于幻想。在想象的世界里，那些令人不安的情绪得到解决，孩子会心平气和地回到真实世界。"

大概在一周岁十个月大时，米尼经常乱发火。《野兽出没的地方》成为我们体谅他，让他了解自己恶劣情绪走向的"救星式读本"。

对米尼而言，这本充斥着青面獠牙的野兽和无所不在的暴力的绘本，就像一个拳击大沙包、一个"考验你破坏力"的游戏。它在说："发泄吧，发泄吧，但请你安然回家。"

对我们这些父母而言，这本绘本有另一层了不起的作用。它让我们看到孩子在撒泼、耍赖、号哭之后，自己艰难控制、克服、战胜这些负面情绪的内在心理，看到他们怀着对我们的爱和思念，在幻想王国独自艰难跋涉，以求和我们重逢的过程。一个晚上，米尼闹牙，他一阵大闹后依偎在我怀里沉沉睡去。我独自在灯下看这本绘本，内心百感交集。成长是那么孤独不易，有时候，父母的臂弯尚浅，有赖于幻想王国的支持，孩子在内心周游、搏斗，一次又一次远遁后回归，以此完成自己内心的课业。

另一本正视孩子负面情绪的绘本，是曾获得博洛尼亚最佳绘本大奖、德国最美图书奖的《第五个》。这本绘本对婴幼儿而言，真是一部悬念大片！一个个小玩具独自进出一间关着门、黑漆漆只透着灯光的小屋子。神秘的屋子里到底有什么呢？断了鼻子的小木偶怀着越来越忐忑和孤独的心情，等待自己即将面临的处境和未知的命运。

《第五个》用门的开合作为节奏，精确而冷静地处理光影和主人公的表情，尽力调动低幼宝宝的注意力，把悬念留到最后。在这样近乎"冷酷"的描述手法、极尽压迫感的张力背后，包含着作者巨大的爱与同情：虽然每个人都说"成长就是这样啊""打针吃药谁没有啊"，但在这些成人化的理性告诫背后，放心，我们了解事情的全过程，我们和你们共同承担着成长的暴力与残酷、神秘与未知、恐惧与兴奋、孤独与渴望……

虽然每次听这本绘本，米尼都会紧张得屏住呼吸，但到最后他都会哈哈大笑，甚至"理智"地劝告小木偶："真是的，勇敢点。不用害怕啦！"有一次，我们家人效仿《第五个》列队表演了一次"等待进入小黑屋"的戏码，最后一个小木偶由他"扮演"。当轮到他进入小黑屋时，他走到门前，停了一下，返身飞奔到我怀里。"妈妈！"他喊。"啊，他还是个两岁的孩子。"那一刹那我悲喜交加地想。可是有什么办法呢？对妈妈而言，孩子的成长也是场漫长的告别。

——之所以提起这几个绘本，是因为在0—2岁低幼宝宝可以接受的绘本范围中，它们是比较复杂却又非常难得的，是为宝宝们提供了"幻想场"的绘本。书中的主人公都借由一个"通道"：从天降落、爬天的梯子、彩色笔、长满藤蔓的卧室、进入小黑屋——来实现对幻想王国的构建。因为孩子越来越需要进行自我内心的建立，所以这种手法在三岁之后的绘本与故事书里将越来越常见。（如

《莎莉，离水远一点》《隧道》《大猩猩》等三岁可读绘本，书中的幻想王国已经非常宏大复杂了。）但是0—2岁绘本中的幻想王国线索还非常单一，情景还非常浅白，像一张3D化之前的简要地形图。

但我认为，这时候和孩子共读这些有"幻想场"的绘本是非常必要的。

1. 它为孩子们提供了"延展性描述幻想事物"的叙述范本。许多成年人缺乏阐述"幻想"的能力。他们可能会说："我梦到了一个花园。"但说不出花园的香味，开的是什么花，是什么季节，有什么小动物出没……延展性描述实际上是有魔法的，在我们描绘自己的幻想时，幻想会更细腻、更贴近、更宽广、更被自己所采信。这些具有"幻想场"的绘本，能够被他们幼小的灵魂所感知，成为他们叙述幻想王国的方式。这样的魔法非常可贵。

2. 共读的作用力是相互的。对我们而言，这些绘本让初为父母的我们开始学习如何尊重、承认幻想王国，并学着如何经由"通道"，一窥这些幼小心灵之内的广袤的宇宙。

如何和孩子共建幻想王国

诚然，我们不能代替孩子构建他们的幻想王国。但如果足够幸运，我们可以获得暂时进入幻想王国，甚至与他们并肩缔造幻想王国的权力。

这是普天之下最好的优差，因为，你会是他们的白日梦中人。

对三岁以下的孩子而言，他的幻想王国是对你洞开的。请一定要珍惜这样的美好时光！带着最大的尊重和祝愿，为之添砖加瓦。

作为资浅妈妈，我做得远远不够，但是怀着抛砖引玉的想法，在这里和大家说说我给自己定的一些"可以"和"不宜"——

1. 可以"**多使用比喻句**"。记得我在前几篇"骑鲸之旅"笔记中谈到过形容词的好处，形容词让一个五彩缤纷的世界降落在孩子心田。而比喻句有如立柱，它们是支撑幻想王国的宏大基石。对两岁前后，有共读基础的孩子而言，比喻句会像鼓点一样敲打他们的心，有足够的调动他们思考和想象的力量。哪怕使用最拙劣的比喻句都没关系，大胆说出你对这个世界万事万物的比喻吧。这对孩子来说，是最精妙的开示：世界并不以一个形态恒固着，它不在这里结果，便会在那里开花。比喻句就是白日梦的开始。

2. 可以"**演**"。电影《美丽人生》讲述了父亲用诙谐的表演让孩子相信"恐怖艰苦的集中营生活"只是一场游戏。哪怕面对死亡，他仍旧用自己的"表演"不断为孩子的幻想王国添砖加瓦。——是呀，做这样的父母吧！把匆忙赶早班车的清晨描述成一场阻击战；把明明要分开的离别描述成一场躲猫猫；把贫穷描绘成"和老天爷赌博输了个精光"……让孩子在无常面前哈哈大笑，这并不是逃避现实，而是足以支撑强大内心的幻想王国的巨大魔力。你对日常生活的"演绎"，会给孩子的幻想王国注入最精华的"幽默感"。在一天中给自己留五分钟，学着做憨豆爸爸。

3. **可以说："我想听听你怎么想的……"** 对两岁左右的孩子来说，
   他们的很多想法都是简单的"人云亦云"，还有很多想法是混
   搭的"想入非非"。这时候就坚持对他们说："我想听听你怎么
   想的……"听他们描述匪夷所思的大海颜色、月亮和他们说
   的话、小猫如何和他吵嘴。仅仅这样就可以，保持这个习惯，
   他一辈子都会和你分享他的内心。

4. **不宜和他过多谈论宗教**——这是针对中国式信奉模式说的。
   我个人认为，有信仰非常珍贵。最美的宗教感是幻想王国的
   重要一环，而那种"你要乖神明才会疼你""不要在神明面前
   不规矩""要记得三叩九拜"等句子只会使神成为孩子心中影
   影绰绰的现实权威。在你拿不定主意如何和孩子谈论宗教时，
   请慎重，这有可能造成孩子幻想王国的缺失。

以上就是我对0—2岁婴幼儿幻想式共读的一些琐碎的想法和
做法。一颗拥有自满自足的幻想王国的心灵，是非常强大的。而
我们作为父母要做的，就是把幻想的种子放进孩子心里，守护它、
等待它，期待它成为巍巍大国。也许我们现在没有能力一掷千金，
为他们买一所永远美丽、永远鲜花盛开、永远固定不变的现实居
所。但和他们一起着手缔造永远美丽、永远鲜花盛开、永远固定
不变犹如神话的幻想王国——是一定能够做到的！

把情话送给傍晚海边的云

云，云，
贝壳给你吧
给你啦。
云说——
你好啊。
米尼说——
云，牵手吧！

蝴蝶和挖掘机

独木桥那边，
有一只蝴蝶
越飞越远
飞到远远的山冈上，
遇到挖掘机。
挖掘机说：
"你要去哪里？"
蝴蝶说：
"去找糖！"

今天中午，初秋的山脚下，要爬上石板桥前，我和米尼手拉手遇到了蝴蝶。米尼说了上面这段话。可我觉得蝴蝶最后的说法很不妥。"蝴蝶怎么会去找糖呢？一定是你自己想吃糖，对不对？"我这样回答。他"咯咯咯咯咯"笑而不语。

晚上睡前，我们把中午所见告诉唐阿姨。米尼又说起了上面这段话。"蝴蝶怎么会找糖呢？"我又问他。

"米尼说得没有错！"唐阿姨急忙捍卫他，说："对蝴蝶来说，采集花蜜就是吃糖。"

我屈服了，如实记录下来。

0—2岁
亲子共读的骑鲸之旅

——0—2岁亲子共读笔记的总结

回想起来，我是从米尼一周岁八个月的时候着手写"骑鲸之旅"共读笔记的。时光倏忽，已过去半年。今夜孩子睡后，我独自翻看这些笔记，觉得有无尽的错漏。但我也意识到，作为一个普通妈妈，自己永远无法独力完成一份尽善尽美的共读笔记。倒不如让它如其所是。希望再经历者，能得到我和米尼如今所得，避过我和米尼所面对和误入的——所有诱惑和缺失。

近来有许多妈妈和媒体经常问我："怎么才能做到让一个两岁的孩子阅读三百本绘本？"听到这个问题我总是很惶惑。不，这绝不是我写"骑鲸之旅"阅读笔记的初衷！读多少书，对阅读这个行为而言远非关键，对婴幼儿亲子共读来说，更是不值一提的事。亲子共读——就像我在所有笔记上多次强调过的那样——

其目的是让孩子爱上阅读行为，让他们感觉到这个过程中的爱与被爱，让真与美降临在他们心田，让幻想王国在他们灵魂里扎根。只要达到这样的目的，哪怕仅仅读了一本书，哪怕只有一本书，这趟骑鲸之旅都是奇妙殊胜的。但是，爸爸妈妈们一定要小心，如果我们接受世俗的诱惑，被自己的欲望所驱使，盲目驱赶麾下的小鲸鱼，以"开发智力""炫耀学习成果"为己任，这趟旅程注定充满悲伤、冲突，注定陷入泥沼。

米尼已经两岁两个月。屈指算来，骑鲸之旅亲子共读在我家已经进行了近两年时间，所谓"0—2岁共读笔记"是了结的时候了。但还有几个切切要点，值得叮嘱未来人。

1 极限

记得我在《骑鲸之旅1》中提到过，亲子共读的第一个成果，是失败。如果没有那么多失败，这就不是困难重重、多舛，却总能给你无限惊喜的育儿人生了。而时至今日，如果你已经历经半年、甚至一年的亲子共读，你会深切地感受到另一个词，就是"极限"。

我能理解，亲子共读遭遇的极限，比"教孩子认闪卡、识字谱"来得快，来得强烈。因为这是一条孤独的、只有你们家人共喜乐患难的路。如果你真诚地想和孩子分享这趟旅程，就绝不忍心把他们"炫耀成果"式地拉到人群中，说："来，给各位大爷大妈们讲段故事吧！"你只能从孩子的某个陈述句、某个微小的行为细节、某个心领神会的微笑……捕捉那些灵光忽现的时刻，并因此明白他们始终跟随着你，与你心心相惜。这样的惊喜时而来得快而猛烈，时而迟迟隐身幕后，你却会在无数次重复、无数个漫漫长夜后，体会到自己的极限。

我也有自己的极限：咳嗽咳得肺都快吐出来了，米尼还一个劲要求"妈妈，再读一本好吗？"。某本绘本明明已经讲了上千遍了——换一本吧？不行！孩子坚决不同意。工作和家务压得喘不过气来，可时间一到，米尼捧着书推开众人就来了："妈妈，该读书了。"或者一群家长站在一起，这个说："我孩子能背十几首诗了！"那个说："识字图我们都认了三四张了。"轮到我的时候，我张口结舌，尴尬微笑。

对一个普通妈妈（或爸爸）来说，亲子共读是特别耗费精力和情感，比较花钱（相比而言），并且需要巨大的自信心与定见方能支撑前行的事。要突破极限别无他途，只有冲破所有外在和内在的、心理和体力上的阻隔，排他地、别无异议地守护在孩子心灵之畔，只有靠你自己。

不知道大家是否意识到，我也是经过许多深夜，才突然发现：共读——两年乃至十年——这样的承诺已是灵魂之约。共读双方都需要付出不可计数的心力，父母更需要巨大的力量，来和以前那个懒惰的、守成的、虚荣的、困于琐碎生活而缺乏想象力的自己搏斗。而那个本来的自己，就是极限。在每次捧起书时，她（他）都会冲出来喊"停"，喊"我累了"，喊"够了，这样就行了"。那个本来的你，对这趟波澜壮阔的灵魂之旅缺乏想象。

如何突破极限？如果是半年前的我，可能会罗列下许多小要点和技巧。但现在，我发现——只要坚持读就行。如果小鲸鱼们在初期尝到共读的快乐，他们会爱上共读。接着，在你遇到极限，并仍坚持捧起书，机械地、木然地读着时，奇迹突然出现了——那些小鲸鱼会引导你，启发你、调动你。只要你像辛勤的老农沉默而无所求地翻动土壤那样翻动绘本，孩子们一定会从灵魂里开出热烈的花来呼应你。

没错，突破极限的唯一力量是爱。但这个"爱"，并不单纯指母爱（父爱），而是互爱。当面临极限时，坚持下去，并把引导权交给孩子，他们会为此行护航。

2 共识

许多妈妈告诉我，她们的共读计划曾遭到家人诸多质疑和非议。我算是比较幸运的一个。但当我们家在短短一两个月时间里一下子涌进一两百本体积庞大、花费不菲的绘本，家庭空间被严重蚕食时；当家人看到米尼瞪着懵懂吃惊的双眼，听着我指天画地时，我也听到过"这种书都在骗钱吧？""孩子这么小怎么听得懂这些？""编些故事跟他说就行了！"这样的话。

如果计划未来数年内延续和孩子的共读，就需要家人在精神上、时间上、住宅空间上，乃至经济上的认可和支持。一帆风顺的共读绝不单是你和孩子两个人的行为。从这个角度上说，孩子两岁前，你已经迫切地需要取得全家的共识，为日后的共读行为打下坚固基础。一个好的共读引导者，有责任让全家人意识到：共读不仅仅是亲子游戏，共读带来爱。你有责任让全家成员共享骑鲸之旅的旖旎风光，并像舰长一样指引方向。

取得全家共识，我是以如下步骤进行的——

A. 分享绘本带来的爱。绘本中有许多讲述家庭之爱的优秀
图书，如《我爸爸》《我妈妈》《爷爷一定有办法》《魔奇
魔奇树》《先左脚，再右脚》《给爸爸的吻》《团圆》《你看
起来好像很好吃》……因为讲述的是熟悉的家人，一岁半
之后的孩子都会投入阅读。这些书总能激发孩子们内心的
爱。米尼经常拿着这些书，依偎在外公（或外婆或爸爸）
怀里，说着"看到这本书就想你了""绝对不要和爸爸分
开""一定要保护爷爷"这样甜蜜的话。能带来爱的绘本
是不会被人拒绝的。（注意：在挑选"举家共爱"的绘本时，
需考虑到老人的心理忌讳。有些讲隔代感情的绘本涉及死
亡，如《楼上的外婆和楼下的外婆》《爷爷变成了幽灵》，
挑选时建议参考家里情况决定。）

B. 分享绘本带来的成长。真正尊重灵魂的共读是不需要炫
耀成果的。但让家人感受到"绘本给孩子带来成长"是取
得共识的上好法门。有段时间，我常对家人说："米尼刚
说起的这个形容词是从某本绘本里学来的！""他从绘本
里学到了红绿灯的道理！"慢慢地，我妈我爸也会要求我：
"给米尼找找不怕打针的绘本吧。""有没有让孩子不怕妖
怪的绘本呢？"当家人提出这样的要求时，是他们认可共
读、接受共读的美好开端。

C.邀请家人参与共读。获得全家共识最好的法门，莫过于邀请家人参与共读。我们家设有几本"归爸爸念"的书。这些书是我先生觉得有趣，乐于和孩子共读，并自己购买的书。比起绘本，我爸我妈更愿意说些传统故事，他们从书店买了一套《小小孩影院》，在他们的"亲孙时间"给米尼讲《猴子捞月》《聪明的乌龟》《龟兔赛跑》等故事，很快米尼就也能绘声绘色地讲了。我婆婆——米尼的奶奶——年纪大了，每隔一段时间来和米尼待一阵子。她只会说家乡话，但每逢她说起往事，我会拉米尼在边上认真地听，同时把大意告诉米尼，说"奶奶说的故事真好听！"。让孩子听历经岁月的灵魂的讲述，是他们的福气。哪怕仅仅沉浸在当时的气氛中，他们也会因为感受到爱和尊重，让心灵越来越敞亮开阔。另一方面，对家人来说，"孩子喜欢我说的故事啊"是个鼓励，他们进而也能够接受"孩子喜欢故事"的说法，成为共读的拥趸。

当然，亲子共读经常是属于被窝、属于你和孩子彼此唇齿之间、属于安静夜晚的。但它绝非"关上门"的、"有门槛"的、"高高在上"的游戏。取得家人共识的亲子共读，使骑鲸之旅更多元、更有生机，它是拒绝孩子成为书呆子的第一步。

3 书目

　　每个刚刚进入骑鲸之旅的父母都迫切需要书目，我也是。在之前的笔记中，我也曾列举过许多"找到适合我孩子的绘本"的方法。回想起来，我也曾从共读的先行者那里得到很多帮助。共读父母之间的呼应和互助都源于对孩子的爱，是非常可贵难得的。

　　然而，在共读父母的互助圈中，总会遇到这样的爸爸妈妈，他们会说："上次某某推荐的某本书，根本不适合我家孩子，白花钱了。""某某推荐的书，里面的情节让我孩子学坏了。"在各种论坛、书评留言板，乃至自己的微博里，我都会或多或少遇到这样的留言。所以，我想和怀着这样心态进行共读的父母谈谈。

　　由于每个孩子个性不同，当家长把那些被广泛推广的共读书目嫁接到任何一个孩子身上时，无可避免地会遭遇一些失败。为此我还写过一篇关于"失败之书"的绘本笔记。但如果抛弃经济上的痛感，"失败"也是共读中非常奇妙的一环。想象一下，你把孩子不喜欢的书合上，对孩子说："如果这是你现在还不能接受的东西，我们就先放在一边吧。"这恰恰是父母开始学习放开自我权威，尊重孩子选择的契机。日本最知名的当代心理学家河合隼雄就曾说过，父母不该把自己应该承担的责任推卸给某些"专家"，希望"专家"能说出让育儿过程一帆风顺的话，从而放弃本该和孩子一起承担的失败、挫折和停滞。如果你对"专家"过分怀抱希望，就不可能从内心真正理解孩子所处的境地。

　　在到达所向往的亲子共读的"自由"之前，首先必须自己承担责任。对父母而言，这过程总带着痛苦。因为我们会发现自己的笨拙、无助、刚愎自用、精力不济……但要知道，没有孩子需要十全十美、万无一失的教育。当孩子们和我们一起经历无数错漏，发现爸爸妈妈站在所有错误、琐碎、失败之中——还在奋力为自己大声朗读，孩子们就会意识到，什么是勇气、责任和爱。

所以，查考所有资料，再用自己的直觉和信心为孩子制订个人阅读计划——哪怕错漏百出，都是你的权力和爱。不要把责任推诿给任何"专家"或组织。这意味着父母从一开始就甘愿处于自己孩子教育的附属地位，甘愿把自由和权力拱手交给命运和可靠性存疑的他人。

请不要因为害怕失败，而放弃骑鲸之旅最珍贵的自由自在。

 书架的魔法

在《骑鲸之旅1》的笔记中，我介绍了"独立书架"在哪怕十八个月大孩子的共读中所取得的巨大作用。现在，如果孩子"独立书架"上的书越来越多，书架的第二个魔法就出现了。

为了说明书架的第二个魔法，得先说说"超市和书店码堆"魔法。在快销品营销策略中，产品在卖场上出现在什么位置、是否触手可及、是否有显著标志，都会强烈暗示与影响购买者的选择。当米尼有超过两百本绘本，必须有三排书架才能容下他的库存书时，我开始把他的独立书架想象成一个书店（或者超市），引入超市和书店的"整理陈列柜方法"。

孩子永远在"旧世界多么有安全感"和"新世界真有趣"这样两种情绪中摇摆。米尼的三层书架，底下那层总放一些他看过的书，是他"蹲下身就可以追溯的过去"；伸长胳膊可至的那层，是他没读过的书，是他"努力一下就可以理解的未来"；与他视线平行的那层非常重要，这里放着他近期读的书，他走来走去时就可随时浏览、取阅。

书架中间这层"重要"的书，一直以沙漏似的极其缓慢的速度变化着。每隔一周，会有三四本阅读过的图书被放入底下一层（过去），或上面一层（经检验现在还接受不了），代入新书。这样保证他总能"温故"，却在选择时常能"知新"。被他所热读过的书常会消失一阵，又回来，带来他回忆中的惊喜。

5 一本书的阅读步骤

这是个采访时遇到的问题。同为妈妈的记者困惑地问我："你写了那么多阅读笔记，可我还是想知道，你读一本绘本会分为几个步骤读？"当时我是这样回答的——

A. 第一次阅读。到了我所认为的"应该可以接受某本绘本"这样的时间，我会把新绘本拿出来，和米尼说："今天我们要认识一本新书。"第一次读，我会快速把这本绘本读完。举个不恰当的比喻，就好像相亲第一次照面，先把对方情况大致介绍一番，让孩子心里有个底。这可以给他留下时间判断：这本书到底适合不适合我。米尼的反应多半有三种：1.共读到一半就跑掉——这样的书我会再换时间努力一到两次，如果还是不行，就会在相当长一段时间内放弃；2.听完第一遍共读，却毫无反应——代表这本书暂时被接纳，但是否接受良好有待后来观察。这本新绘本便会被放入"书架重要层"，等待温习；3.听完第一遍共读，马上要求第二遍、第三遍，这样的书势必会成为相当长一段时间内的热读书。

B. 第二次阅读。对于"被接纳"的新绘本，会有"走入现实"的第二次阅读，也是重点阅读。也可以称之为"演＋读"。读《在森林里》，我们举家爬山，到森林里玩绘本中提到的"丢手帕、过隧道、搭火车"游戏；读《鳄鱼怕怕牙医怕怕》，我们去了牙医诊所；读《让路给小鸭子》，我们划船就近接触了公园湖泊里的鸭群；读《月亮的味道》，我们在月圆之夜爬上海边高高的沙堆，搭人梯去摸月亮……只要有心，几乎所有绘本都能找到现实的参照物。而让孩子体会"绘本"与现实世界的关联，是非常、非常、非常重要的一环。它会让阅读充满诗意和欢笑，让幻想王国降临到日常生活之中。

C. 第 N 次阅读。"联系现实"的阅读之后，这本绘本会浮现在孩子的心象之上。这种变化非常迅猛。你会发现，幻想世界的潮水朝前奔涌了一大步。孩子更清楚地认识了这个世界的某个微小之处。这时候，你要做的，就是不解释字面意思，在每一个夜晚，按孩子的要求，老老实实一字一句地读这本绘本。让孩子感受节奏、韵律和表达。这就好像一首美妙的乐曲，在某次解析之后，就把它放置在孩子心田，让他们用自己的方式消化好了。不需画蛇添足、支离破碎地做解释。

D. 重点词汇的解读。这样的解读，我分不清该放在哪一次阅读之后。它们会在你们一起游历世界时突然跃到嘴边，浮在眼前。很奇怪，经常是孩子先提起这些词。《两列小火车》里有两句话，说："雪使两列小火车变得毛茸茸的""雨使小火车显得亮晶晶的……"有一回，我和米尼在摸一件有珠片的衣服时，衣服在灯光下显得闪亮。"一闪一闪的衣服。"我对米尼说。"亮晶晶的。"他突然说，然后又说，"毛茸茸的。"他说得没错，那衣服是亮晶晶的，但并不是毛质品。我疑惑了一会儿，突然想起，他此刻的经验完全是来源于《两列小火车》。也就是说，米尼找到了"亮晶晶"这个词的现实对应物，就理所当然认为"亮晶晶"之物，必然也是"毛茸茸"的。于是我把他带到另一个皮毛衣服边上，让他抚摸它，说："这才是毛茸茸的。"还有一次，米尼在小区里玩。有老人经过，问他："你在干什么呢？"他回答："我在仰望月亮呢！"当时，他还不到两岁。老人们都笑起来，说："你知道什么叫'仰望'吗？"米尼慢慢抬起头，说："就是这样抬着头看啊。"

共读久了，你会发现，那些关系触觉、味觉的词，动词，形容词在孩子心里沉淀最久。我们要做的，是把这些谜一样让孩子着魔的词从孩子心里打捞出来，晾晒在阳光下。让孩子明白，这些词能给他们带来怎样的真实冲击。因由这样，这个世界便在他们心中展露自己的轮廓。

E. 抓住某本绘本的"特定时间"。这是非常规的阅读步骤，但具有命定的巨大魔力。某些绘本，它们有自己特定的阅读时间和阅读地点。比如平安夜坐在圣诞树下读《极地特快》，任何孩子都会听到圣诞老人的银铃声；在白雪围绕的小屋里读《月夜看猫头鹰》，孩子和父亲的心会连得更近；把手中的小船放入水里，目送它渐行渐远，没有孩子会不理解《玩具船去航行》中玩具船的孤独、彷徨、勇气和回家的渴望；又或者，当孩子目睹死亡，把他们搂在怀里，一起读《獾的故事》，读《爷爷变成了幽灵》，大人哽咽的口吻和温柔的怀抱会成为他们此生"生命教育"的重要环节。这些绘本，就像生命长河里浮游在水面的睡莲，在关键时刻幻化为你和孩子脚下最坚固的阶梯。孩子拉着你的手，拾阶而上，岁月、分离、阻隔、痛苦混合在你的怀抱中，成为一颗带着暖意的种子，埋入他心里，他因此得以安然前行。

是啊，共读不仅要在那些普通的、日常的夜里进行，也请在这些最欢欣、最窘迫、最孤独、最动荡的时刻进行。在这些时刻，找到合适的绘本，它们会给孩子的心灵带来加倍的、绝无仅有的抚慰力。

以上数万字的笔记，就是我这样一个资浅妈妈对0—2岁亲子共读的一些心得。这些笔记是按时间顺序写下来的，因此，你会在初期"骑鲸之旅"笔记中读到我的野心勃勃；在《为了孩子的自由，请先忘记你的道德感》和《请做"田鼠阿佛"的家人》中读到我放下的自我；在《安东尼·布朗的秘密》和《0—2岁婴幼儿亲子共读的失败之书》中读到一个妈妈对绘本权威的质疑与挑战；在《0—2岁婴幼儿专注力培养之己见》中读到我依然存在的教育企图心；在《绘本中的"幻想王国"》中读到我对孩子的祝福……没错，这就是一个尽量调整自己，虽然满怀缺失、难免跳出来颐指气使，却带着无尽爱与祝愿的妈妈，在这两年中的共读心得。她骑着小鲸鱼经历许许多多夜晚，遭遇过无奈与失败，目睹过幻想王国的瑰丽和殊胜。于是，把这一路记录下来。

如果阅读过这些笔记，你会发现，这些绘本的阅读过程不仅改变了米尼，也彻底改变了我。

共读，归根到底不在"读"，书只是通往心灵的"途径"。骑鲸之旅最重要的，是彼此怀着温柔的心共同寻找和经历，寻找和经历你和孩子真正需要的此生、此世界。

如果你始终怀着这样坚定的想法，这段路一定不会难走。总有一天，当你在幻想王国的海滩上睁开眼睛，会发现身边躺着一个微笑的陌生人。

他（她）挥舞着手，笑着说："你好啊。还认得我吗？我就是一直和你共游的小鲸鱼。真喜欢这些年我们一起玩的朗读游戏，真谢谢你始终与我的灵魂坦诚相见。"

为了这一刻，只为这一刻，让我们相约每一个夜晚吧。

无限祝愿，愿大家骑鲸之旅幸福快乐。

雨把一切都打湿了

妈妈，下雨了。

你看所有东西都湿漉漉的。

雨把它们都打湿了。

（那雨下到海里，是雨把大海变湿，还是大海把雨变湿呢？）

嗯，

是装大海的盆子被雨打湿了。

是这样的吧。

绘本魔法

遵循"骑鲸之旅"笔记的一贯主题，这些魔法更多是针对阅读绘本的大人而写的。在共读中，孩子之所以能喜欢上某本绘本，经常是有赖于大人对此绘本的青眼相看、重复演绎。

《小猫咪追月亮》

作者:(美)凯文·汉克斯　文／图
译者:阿甲
出版社:明天出版社

　　《小猫咪追月亮》《棕色的熊、棕色的熊,你在看什么?》《夜色下的小屋》都是很好的双语共读绘本。

　　因为米尼喜欢小动物,这本描绘小猫咪如何找牛奶的绘本在我们家特别受欢迎。

　　在《一千零一夜》里有一个脍炙人口的故事:一个年轻人在家里做了个梦,梦到千里之外有个城堡里埋着许多珍宝。他历尽千辛万苦来到城堡,城堡却是一片断壁残垣，空空如也。这个年轻人——现在他已经垂垂老矣，在城堡的地上蜷缩躺着，又做了一个梦，梦中神明又告诉他，真正的埋宝之所其实在他自己家里。他又历尽千辛万苦回到家中，终于获得财宝。

孩子，真正的财富总是伴随在你身边，但你不劳费岁月和心力，怎能意识到人生的可贵成就来之不易？——《小猫咪追月亮》用小猫千辛万苦追寻"像牛奶"一样的满月，最终回到家里门廊下，终于喝到牛奶的故事，用婴幼儿的视角阐释了这样的寓言母题。

在孩子幼小之时，把那些简单又传承于世的人生哲理埋藏在他们灵魂之中，长大后会继续发酵吗？——这是这本书的魔法，以及父母的期待。

《棕色的熊、棕色的熊，你在看什么？》

作者: (美) 比尔·马丁　文
　　　 (美) 艾瑞·卡尔　图
译者: 李坤珊
出版社: 明天出版社

米尼读这本书时，应该是在二十二个月，已经认识颜色和动物了。所以这本绘本的魔法在于英语共读。

十八个月时共读，效果可能更显著。

《鸭子骑车记》

作者：（美）大卫·香农　文／图
译者：彭懿
出版社：南海出版公司

　　怀着"我打赌我会骑车"的疯狂念头，农场里的鸭子踏上自行车。其他动物们怀着妒忌、怀疑、瞧不起、置之事外、冷眼看笑话等各种心态旁观。但游戏是多么快乐啊！当你全身心忘我地投入其中，所有微小琐碎的负面情绪就会像泡沫崩裂在阳光之下。一起来吧！一起来吧！

　　——我非常、非常、非常喜欢大卫·香农，并且肯定孩子们会一腔热血地热爱他。他的笔触就是孩童式的。其他大师，像安东尼·布朗，他的绘本还有炫技、教诲的成分，李欧·李奥尼的慈爱是"爷爷牌"的。但大卫·香农不一样，他从不批判，从不教育，他的绘本只有哈哈大笑的幽默感，他的画就是童心。

在孩子满十八个月后，《鸭子骑车记》和《大卫不可以》（系列）是最值得亲子共读的绘本。朝他所描绘的美好世界前进的，不仅是婴幼儿，大人也要快跟上。没错，《鸭子骑车记》对父母有巨大的启迪意义。当孩子，乃至身边其他人开始对新事物进行探索时，我们不是也曾怀着妒忌、怀疑、瞧不起、置之事外、冷眼看笑话等各种心态旁观吗？希望孩子成为心灵强大、敏于行的探索者，父母就要先带着欢欣鼓舞的笑，和他们一起投入世界。

"好玩"是芸芸正能量中魔法最大的动力，它是一往无前的诙谐与好奇。学习孩子，做一个在一切探索面前欢呼雀跃的人，这就是《鸭子骑车记》最大的魔法吧。

（另外，这本书含跨页大图，如：骑自行车孩子群像、动物看自行车群像、动物骑自行车群像，均可以做孩子专注力"寻找"训练的很好的入门，这在《0—2岁婴幼儿专注力培养之己见》中已有提及。）

《和甘伯伯去游河》

作者: (英) 约翰·伯宁罕 文／图
译者: 林良
出版社: 河北教育出版社

刚拿到这本书时我非常不喜欢。图像影影绰绰，人景两茫茫。对锱铢必较的父母而言，这本久负盛名的绘本怎么看都名不副实。可就是这样一本书，在米尼二十个月左右进行共读时，几乎一举成为和他互动最好的书的前五名。

故事像乡谣一样循环还复，游河之邀此起彼伏。最后两张跨页大图推出小高潮，结束得干净利落。

后来我意识到，这是本用悠

扬、缓慢的情绪去阐释"和孩子在一起喧闹哄乱场景"的书。在图画之外，作者不仅给婴幼儿想象力以巨大的留白，也在引导父母——引导父母在"填弹孔似的"育儿生活中感受太阳、新鲜的茶点、冉冉升起的明月、宽广的大河和你本应该有的——有节奏渡过生命之河的划桨声。伯宁罕的伟大，在于他的绘本总是意犹未尽，总是虚位以待。

我们和孩子的成长，都需要一个独立于时间之外的等待。

《好饿的小蛇》

作者：（日）宫西达也　文／图
译者：彭懿
出版社：二十一世纪出版社

开始进行亲子共读的父母，多半要经历"道听途说书单"期。别人说非常好的书，不管三七二十一先囤货再说。这本书就是在那个时候买的。

《好饿的小蛇》和《好饿的毛毛虫》都经常被人提起，以至于到后来我都混淆了，不知道该买哪一本，干脆都买了来。

两本书一起到家时才知道，除了"吞吃东西"这个主题，两本书根本大相径庭。《好饿的毛毛虫》涉及数数、动物变化、色彩，手法丰富，更合适两岁之后的亲子共读。《好饿的小蛇》因为简单有趣、开本小，十四五个月的孩子也很喜欢。

对于那些张开大嘴、嗷嗷待哺的吃货小娃来说，这只吞噬一切的大蛇一定很对他们的胃口吧！这本书的魔法是在喂饭时，当我说："像好饿的小蛇一样张开血盆大口！"米尼就张开大嘴用力吃起饭来。

《抱抱》

作者：（英）杰兹·阿波罗　文／图
译者：上谊编辑部
出版社：明天出版社

　　十至十八个月孩子的妈妈，很多会在这本书的共读中收获惊喜。再没有什么比跟着小猩猩的脚步，找到彼此的温暖怀抱更美好的阅读体验了。很多妈妈告诉我："看完这本书，宝宝真的抱住我了！"或者说："看到小猩猩找不到妈妈，宝宝竟然差点急哭了。"——这本书的巨大魔法在于，孩子真能看得懂。

　　他们怎么能看不懂呢？寻找妈妈的怀抱，是新生命的天赋。

"开车出发" 系列

作者：（日）间濑直方　文／图
译者：彭懿　周龙梅
出版社：二十一世纪出版社

"我是个十四个月男宝宝的妈妈，从没进行过亲子共读。想先买一套性价比高的试着看，你有什么好推荐吗？""朋友的儿子快十七个月了，刚好过节，送他一套书，该送什么书好？"——遇到这样的问题，我给出的答案就会是这套书。

质量上佳的平装图书，一套七册，虽然定价超过一百块，但网购的话平均每本也就十块钱左右。对亲子共读初期精打细算的父母而言，不至于不知就里心里淌血地买了来，倒抽着冷气腹诽说："印几张图片就卖那么贵的钱，共读这种事还是等以后再说吧。"一些卓越又谦逊的图书能给阅读行为以保护，坚定阅读者朝前走的信心。这套书就是其中之一。

　　一开始，我是因为米尼非常爱车，抱着"大概是高级一些的汽车图册吧"的想法购买这套书的。可它给了我极大的惊喜。这套书不仅仅是简单的交通工具集加自然风景集，它用精致的镂空、全景式的细致构图、各种精巧的印刷设计、简单却富有韵味的文字，向孩子描绘移步换景的旅程。无时无刻不在尊重和引导孩子的视野，对真实地描绘这个世界表现出最大的诚意——这是这套书令人感佩的魔法。

　　这套书的使用时间很长，爱车、爱自然的孩子从一岁开始阅读，可以延续至两岁，多半乐此不疲。此外，还非常合适做十八个月以后孩子的专注力训练书。

　　记得米尼已经有三百多本绘本时，一天下午，我正埋头收拾米尼的书架，顺口问我先生（他从事成年人图书的出版编辑工作）："这么多绘本，你觉得哪本书最棒？"

　　他毫不迟疑地指着这套书，说："当然是'开车出发'系列。"

　　作品的优劣本是很个人的主观感受。但这套书确实给过我们一家巨大的感动和欢喜。

《好脏的哈利》

好脏的哈利

Harry the Dirty Dog

(美)吉恩·蔡恩 著 (美)玛格丽特·布罗伊·格雷厄姆 绘 任溶溶 译

新星出版社 NEW STAR PRESS

作者：(美)吉恩·蔡恩　文
　　　(美)玛格丽特·布罗伊·格雷厄姆　图

译者：任溶溶
出版社：新星出版社

　　我家的许多精装绘本都带着亮堂堂、满载声誉的腰封，像戴着高傲的皇冠，屹立在书架上。《好脏的哈利》也有个重量级腰封："世界绘本史上里程碑力作""日本绘本之父松居直盛赞的最佳典范"，多次名列"最好绘本"之中。

　　但共读父母的标准很直接。他们在意的只是"孩子会不会喜欢这本书"。

　　所幸，哪怕从这个标准出发，《好脏的哈利》对孩子的喜好的命中率依然是百分之百。它具有几乎所有"让孩子眼睛发亮"的元素：1.卖萌的小动物；2.让男孩尖叫的各种交通工具以及沙堆马路打滚闯荡情节；3.让女孩喜欢的为小动物洗澡擦身情节……两岁前后自主意识急速萌芽的孩子最在意的——自由与责任，在哈利系列中都被温柔地、忍俊不禁地讨论着。

二十个月时的米尼和我一起共读这本书时，问了一个让我大吃一惊的"深奥"问题。他指着这本书的封面困惑地说："两只小狗都脏脏的？"劳他指点，我才发现，无论是一身脏的白点黑狗抑或是洗澡后的黑点白狗——两个造型的哈利都显得不干净。为了突出"洗澡好"的主题，画一只通体无瑕的白狗，如何把自己搞得乌七八糟，再如何被洗白，重获人们喜爱——对大人来说，似乎是更可以接受的逻辑。但这本书并不按这个逻辑走。1956年，《好脏的哈利》初版面世，立即获得旋风般的好评。时隔多年，格雷厄姆再度为本书上色，赋予哈利更多彩的世界。但是，他始终无意改正这个"错误"。

为什么不把哈利画成一只小白狗呢？这个问题与其道理我到很久以后才想明白。对作者而言，这样的小狗恰恰暗喻着"任何一个孩子都瑕瑜互见，请你欢乐地接受，并爱他们吧"的情感。

《爸爸，我要月亮》

作者：(美) 艾瑞·卡尔　文／图
译者：林良
出版社：明天出版社

许多孩子在一岁前后，会成为"天文迷"。从七八个月时指认天花板上的电灯开始，进而发现天上有一盏不灭的明灯，因此对月亮产生好奇和爱。米尼就是这样的孩子。

为了让月亮离他近点、再近点，我们和他讲了许多和月亮有关的故事。他最、最、最喜欢的就是这本《爸爸，我要月亮》。

艾瑞·卡尔在这本书中，继续动用他令人着迷的色彩以及变化万端的折页，将这趟寻月之旅的"奇幻感"推加到极致。当绘本中长长的梯子树在高高的月亮上时，米尼"哇"地叫了起来。

十四五个月的孩子真的能理解那些折页带来的巨大空间感。他们是怎么做到的呢？这是个谜。

《野兽出没的地方》

作者：（美）莫里斯·桑达克 文／图
译者：阿甲
出版社：明天出版社

在"骑鲸之旅"的笔记中，谈到父母和孩子沉浸其中的"演绎"绘本环节，我总会提到《野兽出没的地方》。这本盛名之下的书，原不需要我说得更多。

以写作"令人发笑的文字"见长的文学巨匠冯内古特曾说过，在这个荒谬百出的世界里，人所能做的只有放声大笑了。看桑达克的画，总能让我一边微笑，一边带着悲怆地想起冯内古特。对婴儿来说，他也是个"黑色幽默

120

巨匠"吧。

　　这个世界上，所幸还有那么多历尽沧桑的老灵魂，愿意带着调皮的笑，用略带粗鲁的口吻和粗犷的笔触，怀着最大的温情，对孩子们叙说世界。

　　共读《野兽出没的地方》这样的大师级的作品，仅仅搂着孩子一页一页翻下去，就彻底失去它的意义了。

　　你必须像这本书试图表达的一样，抛下你的道德感，在孩子愤怒时、撒野时、孤独时、饱受所有负面情绪侵袭时，和他并肩而立，用生命力、用朗朗大笑来对抗脑海中不可抹去的"恶"。

　　这不是奇幻世界的法则，而是爱的法则。

《谁的自行车》

作者：（日）高畠纯　文／图
译者：小鱼儿
出版社：中国电力出版社

　　所有热衷亲子共读的父母，几乎都会在同一个观点上取得一致，即：对真正有意义的童年阅读而言，书仅仅是个途径。它不要你"记得"任何知识点。不，对婴幼儿而言，记忆力的发展是次要的。他们该记住的东西就像布满黑夜的星辰，只需要凭借生活经验抬起头就能呈现。共读，只是为了感受爱，以及尽可能拓宽他们的想象力。这是美好童年的真正基石。

绘本是想象力的产物。那些突破常理、让事物变化万端的绘本都能使孩子的心灵飞跃起来，让他们拥有更广阔的心胸。从这个角度说，《谁的自行车》值得推荐：这世界上大大小小的动物，都有自己专属的、设计独特的自行车。这样的想法充满了意外和爱。

　　之所以推荐《谁的自行车》，还有一个原因。我是一个好高骛远的妈妈，很早就为米尼买了《轱辘轱辘转》这样的"汽车变形大典"。但对很多十八个月之前的孩子而言，《轱辘轱辘转》太过厚重了。这时不妨看看《谁的自行车》。在某种意义上，它是一本简化版的《轱辘轱辘转》。

《打瞌睡的房子》

作者：（美）奥黛莉·伍德　文／图
　　　　（美）唐·伍德
译者：柯倩华
出版社：明天出版社

父母们对《打瞌睡的房子》的评论很两极化。那些懒洋洋地留言说"没有多少字，净是图画"和"故事很温馨，关着灯读，我都想打瞌睡了"的人，我真想摇撼他们的肩膀，大喊："你们在想什么啊？这样共读这本绘本，简直是浪费钱啊！"

《洛杉矶时报》曾说，这本书是图与文的天作之合。对我而言，岂止如此。在米尼两岁前看过的数百本绘本中，论构图之精巧、细密，运镜之独具匠心，无能出其右者。

这本绘本用细腻之极的画面、独到的色彩、逐步变化的视点营造出充满戏剧感的氛围，将读者"承托起来"，像精灵一样俯瞰这个"打瞌睡的房子"。作为一个矮墩墩的，成天只能以大人的大腿、桌凳脚为聚焦点的婴幼儿而言，这样的视角必然会冲击他们的心灵。注视着这样的图画，共读就像在飞翔。

米尼二十个月时，有很长一段时间疯狂迷恋这本书。我曾在"骑鲸之旅"笔记的《0—2岁婴幼儿专注力培养之己见》中说起，这本书还是极好的"专注力培养进阶绘本"。许多个晚上，米尼趴在我身边，从在每一页找老奶奶的拖鞋、找阿猫阿狗开始，直到找到每一页神出鬼没的跳蚤。

希望孩子的屏息找寻，能回报画者当日呕心沥血细细描摹之万一。

《楼上的外婆和楼下的外婆》

作者:(美)汤米·狄波拉 文／图
译者:孙晴峰
出版社:河北教育出版社

　　我一直认为,应该和孩子谈论两件事:无常和父辈。

　　我们共同生活在不断流逝、不断失去的人生中。孩子和父母、和父母的父母、和父母的父母的父母……在不同时空里奋力而孤独地爱着对方。这就是世代。无论孩子多小,他都有权利知道:这个世界容易时移世易、容易沧海桑田,但虽然肉身易逝,却依然有什么永不蹉跎。

　　《楼上的外婆和楼下的外婆》

给了像我这样软弱的父母诉说这一真相的勇气。

在共读这本书时，我第一次尝试和二十二个月的米尼谈到死。虽然心里打着鼓，但我还是选择直接使用"死亡""去世"这样的词，看着他的眼睛，而不隐晦吞吐。

在这本书里，幼小的汤米总喜欢和九十四岁的曾外婆一起"绑"在椅子上，吃着针线盒里的糖果，一边聊天，一边度过一个下午的时光。后来，曾外婆去世了，汤米知道她再也不会回来了。妈妈却说："每当你想起她，她会回到你记忆里"，"你看到的流星，都是她给你的亲吻"。

读完这本书后有一天，我们家保姆唐阿姨的妈妈去世了，她请假回了老家。那天傍晚，我和米尼手拉手散步时谈起这事。我问他："米尼，老奶奶死后会怎么样呢？"他想了想。我等着他。

我以为他会按书上的逻辑回答我："人死后会变成流星。"但他慢条斯理地回答："死，就没有糖吃了。"

这是个意外的答案。我随手记在自己的微博里。在美国进修临终心理关怀的朋友看了后，和自己的导师谈及此事。据说，她导师认为未满两岁的孩子给出这样的答案很 RARE，因为他们难以把"死亡"和"不存在""没有"联系在一起。

　　和朋友谈完话的那个晚上，米尼睡觉后，我独自坐在沉沉黑夜中回忆这本书，突然意识到，自己也缺乏承认"不存在"的勇气。我们说起死，宁可接受变成流星、变成蝴蝶，甚至变成厉鬼的结局，也无法理解彻底的空性。

　　直视空无，需要最勇猛的智慧。

《小金鱼逃走了》

作者：(日) 五味太郎　文／图
译者：(日) 猿渡静子
出版社：新星出版社

五味太郎著有许多培养婴幼儿观察力的绘本。作为大师，其优越性是无可置疑的。

在共读中唯一需要预防的是，这些绘本都有其"时效性"。《小金鱼逃走了》《黄色的……是蝴蝶》这样的书，建议在孩子十八至二十个月时开始试读，对两岁的孩子来说寻找就太容易了，失去了"训练专注力"的挑战性，读两三遍就束之高阁，实在可惜。

没错，我就是锱铢必较的妈妈呀！

《宝宝创意大发现》

作者：（日）五味太郎　文／图
译者：（日）猿渡静子
出版社：新星出版社

　　谈到五味太郎注意力图书的"时效性"问题，就不得不谈这本书。

　　米尼十八个月大，能够在《鸭子骑车记》跨页大图上找到小老鼠时，我雄心勃勃地和他一起翻阅这本书。乘兴而上，铩羽而归。对十八个月的婴幼儿而言，这本书真是太难了。有一瞬间，我甚至觉得他需要在很多、很多年后才能在这本书上有所获得。——看，人在茫然追寻时，总是容易迷失本性、迷失信心。

但孩子并不这样。那段时间，我和米尼总玩"寻找"的游戏，在书上玩，在极目远眺大海时玩，在仰望星空时玩，在俯瞰都市的过街天桥时玩。孩子需要经验和方法。但他们的心里不存在失败。所有"失败"都仅仅是暂时还未攀越的远方群山。

　　二十个月到两岁，有过"寻找"基础的孩子会慢慢被这本书吸引，感受其巨大的挑战性和吸引力。这是一本哪怕大人沉默着，都会自己向孩子发出邀请的书。孩子在大师绝佳的创意绘画中孤军奋斗——对自主意识刚萌芽的孩子来说，这是多大的乐趣。

　　以一个重视实用性的妈妈的浅薄所见，我认为《宝宝创意大发现》是五味太郎"寻找"绘本中性价比最高的，对视觉发现、认知启蒙和学数数都有启蒙意义。共读的时间跨度较长。在我家的"专注力培养"中，是"里程碑"式的作品。

《月亮，你好吗》

作者：（法）安德烈·德昂　文／图

译者：简媜

出版社：河北教育出版社

　　米尼的"月亮系"绘本中，有奇幻大片式的《爸爸，我要月亮》和盛名之下的《月亮的味道》珠玉在前，《月亮，你好吗》这本书一开始并不入我法眼，纯粹因为米尼非常喜欢德昂的另一部作品《亲爱的小鱼》，就买了来，兴高采烈炫宝式拿出来共读的机会并不多。

　　人心真是高傲。

　　《月亮，你好吗》的好处，是在两岁之后，米尼话痨起来，野心勃勃地描绘万事万物给我们听时，我才醒悟到的。这本绘本描绘的，就是百分之百、原汁原味的、孩子的心。

不是吗？妈妈们一定都听到过孩子说"我把月亮抓下来，放在屋子里，一起睡觉、一起吃饭，高兴得跳起舞来"这类的大话。安德烈·德昂把这样不知天高地厚的话用张力满溢的即景画老老实实地描摹下来，成就这本简单至极却无比温暖的《月亮，你好吗》。

德昂很晚才开始他的绘本创作生涯，这本书是他的处女作。当时他五十二岁，已知天命。

希望我也能老老实实地生活下去，向孩子学习。在五十岁时，能用最简单的语言讲出自己做过的最美——却早已遗忘的梦。

《晚安，大猩猩》

作者：（美）佩吉·拉特曼　文／图
译者：爱心树
出版社：南海出版公司

睡前绘本有睡前绘本自己的样子。一开始它应该还带着喧闹的痕迹，它有点好笑、有点繁琐、有点事无巨细，有个坚定不移又循环还复的节奏不停碎碎念"睡觉……睡觉……"，最后，连故事的结尾都睡着了。

睡前绘本要长得和一切孩子睡觉前一样。

《晚安，大猩猩》就是这样一本美妙的睡前绘本。象征父母的管理员夫妇引导着孩子走向睡眠，而象征孩子的大猩猩却一味胡闹顽皮。而他这么做，是为了和父母一起躺在大床上相拥入梦。这是一本用无数引人发笑的细节、幽默感和想象力来填充宁静的绘本。

孩子每一天的安然入梦，源自疲惫不堪却越战越勇的父母的宽容与严格、纪律和爱。

（另外，《0—2岁婴幼儿专注力培养之己见》中有提及，这本书适合做"气球""小老鼠""香蕉"的寻找练习。）

《红绿灯眨眼睛》

作者：（日）松居直　文
　　　　（日）长新太　图
译者：（日）猿渡静子
出版社：新星出版社

有段时间，我对亲子共读产生执念，觉得倚借绘本可以让孩子了解这世界的大部分。这本书就买在那个时候。

拿到这本书时，我妈唠叨我说："红绿灯的事和他一起站在十字路口看半天就懂了啊。"我没作声。

共读时，我和米尼觉得这本书还不错。毕竟带着孩子在十字路口站半天，你也未必刚好看到红绿灯坏掉、警察如何巡路、修理工如何修理红绿灯、如何造成大堵车……不可能看到红绿灯的一天，而孩子总希望了解所有的前因后果。

　　共读完这本书，我画了个马路草图，经常和米尼拿着人偶玩过马路的游戏。再后来，他过马路时会自觉"管理"大人。

《菲菲生气了——非常、非常的生气》

作者:(美)莫莉·卞 文／图
译者:李坤珊
出版社:河北教育出版社

时近两岁时,米尼也迎来面红耳赤、大吼大叫的"叛逆期"。当时我收罗了许多疏导负面情绪的绘本,如:《菲菲生气了——非常、非常的生气》《生气的亚瑟》《罗伯生气了》《变成一只喷火龙》……每本书都自有对"生气"的解释,也自有其疏导方法。

在这些书里,我和米尼最喜欢《菲菲生气了——非常、非常的生气》。菲菲和姐姐争抢玩具,负气而出,跑上山、爬上树。这时"这个广大世界安慰了她"，菲菲置身于开阔天地中，领悟到个人情绪的渺小。她的怒气被消解了，她又回到家里。

这本书的精华，在于"这个广大世界安慰了她"。

孩子、父母——所有人都在慢慢领悟："对抗"怒气最好的方法，不是与之缠斗，不是任其发挥，而是仅仅看着它，正视它，把它放置在无边无垠的时空之中，任其消弭。

这句足以影响孩子未来的话，仅靠朗读无法突显其魔法。"广阔世界是什么？"在共读时，米尼问。面对每天都在海边玩的米尼，要怎么向他展示"广阔世界"？我对着电脑上的城市地图想了好久。后来，我们找了一个晴朗日子，爬山坐缆车。当缆车攀升到最高处，整片天地在我们面前展现，全家人一起喊："看，米尼，这个广阔的世界在安慰菲菲、安慰米尼、安慰每一个人——这个广阔的世界安慰了他们！"

米尼欢呼起来。

我们的孩子，他们是不是真的懂得这句话呢？没有关系。在未来的人生中，当他们被自己的情绪束缚，愤怒让他们推翻自己的一切、茕茕子立的时候，只要有一刻，他们想起那寂寂无声、却扑面而来的广阔世界，他们就一定能赢。

（另外，个人觉得作为情绪管理书，《生气的亚瑟》《变成一只喷火龙》也是非常优秀的绘本，但情节逻辑性比较复杂，适合和两岁以上的孩子进行亲子共读。）

《罗伯生气了》

作者：(法) 米雷耶·阿隆索　文／图
译者：戴露
出版社：湖北美术出版社

对讲求性价比的父母来说，"海豚绘本花园"系列是很不错的选择。平装、印刷优良，多数绘本是经典之作，平均下来每本绘本价格不会超过十块钱。米尼两岁后，我买了"海豚绘本花园"系列中的几辑。但渐渐地，买套装书的缺点也显露出来：一套绘本中涵盖的内容年龄跨度大、针对喜好不一，常常买十本，必然有四五本得束之高阁、以观后效。因此，虽然我确实推荐"海豚绘本花园"系列（尤其是第一、二辑），却也希望父母有自己的取舍。如果有时间，不如一本一本淘，命中率更大。

言归正传，二十个月时，米尼和我共读"海豚绘本花园"系列的《罗伯生气了》。这本指向情绪管理的书，说的是罗伯生气时从嘴巴里吐出大妖怪，妖怪怂恿罗伯摔东西捣乱，最后罗伯终于制服妖怪，把它锁在箱子里的故事。

很明显，《菲菲生气了——非常、非常的生气》教给孩子的克服坏情绪的方法是疏导，而本书教给孩子的方法是克制。米尼几乎同时看了这两本绘本。借由我们的精心演绎，前者无疑成为让他记忆深刻的、为数不多的重要绘本。但他也喜欢《罗伯生气了》这本书。

这本书与众不同的魔法在于，它突出了独自与妖怪战斗的过程。对那些天生对"战斗""妖怪"敏感的孩子们非常有效。这些孩子是通过不断抗争、不断蜕变来完成自我成长的。

《我才不放手呢》（"宫西达也系列"）

作者：(日) 宫西达也　文／图
译者：朱自强
出版社：接力出版社

　　宫西达也大名鼎鼎的"恐龙"
系列，对两岁以下的孩子来说故
事线索太复杂。两岁之前，"恐龙"
系列中最受米尼青睐，并能被他
全本复述、灵活地用在各种对爸
爸煽情的场合的，也只有一本《你
看起来好像很好吃》。

　　但这套"宫西达也系列"却
是集中体现宫西达也风格，适合
十八个月以上婴幼儿的好绘本：平
装、性价比高（主妇们请注意）、
幽默诙谐、充满惊险与童趣。

此外，《我才不放手呢》这本书也成为我们家的"演绎书"。我们找来绳子，仿效书中情节，做两头不断添加人员的拔河比赛。米尼当然是其中最卖力，口号喊得最大声的那个。

　　没错，他喊的是："加油，加油，我才不放手呢！"

《小熊不刷牙》

作者：（瑞士）斯伐拉纳·提欧利那　文／图
译者：曾璇
出版社：湖北美术出版社

应该是从十八个月开始吧，出生后每天由大人给米尼刷洗舌苔和乳牙的习惯停了下来，我们给他一把新牙刷，说："从今天开始你就自己刷牙吧。"开始的新鲜劲一过，我就开始和他进行日复一日的刷牙斗争。有时候，他会含着牙刷跑到床上翻跟斗；或者很好心地用牙刷刷"地板上肮脏的洞"；漱口的时候把牙刷和漱口水都喷进下水道里；或者干脆拒绝刷牙。

在"骑鲸之旅"笔记里我说过这件事,幻想过通过共读绘本使他"幡然醒悟、洗心革面",效果很短暂,时而灵,通常不灵,只能老老实实和他一起刷牙,起效还大一些。临睡前一起刷牙的习惯,一直保持到今天。

《小熊不刷牙》这本书,就是一本讲刷牙重要性的书。小熊因为不刷牙失去了所有牙齿,他后来慢慢领悟到牙齿的重要性。牙齿又回到他嘴里。这样中规中矩的"劝导"式绘本,却有充满想象力、善于营造氛围的图画。这本书的魔法在于它的功能性。

《星期二洗发日》

作者：（德）乌里·奥列夫　文
　　　　（德）雅基·格莱希　图
译者：洪翠娥
出版社：河北教育出版社

　　因为谈及治"怕刷牙"绘本，顺便谈谈治"怕洗头"绘本。

　　这本书是在米尼两岁后买来的，但两岁左右的孩子也能接受。米尼"护头"，不是很喜欢洗头发，不过还可以忍受，但每次剪头发都会大哭。我妈每次带他去剪头发，回来就管我要精神赔偿费，说连她都有"心理阴影"了。

　　我和米尼都很喜欢这本绘本。每天洗头发时，我用手支着他的头，他睁大眼睛望着我，我就和他讲这个故事。因为想象着书里小男孩迈克害怕洗头发的样子，我们一起哈哈大笑，经久不厌。孩子有时候会因为站在别人的恐惧之中，而显示自己的勇气。

但这个魔法在米尼剪头发时并不奏效。他继续哭啊哭。所幸，这本书的结尾，给我和米尼一个自我疏解的办法。

"米尼，你要哭到什么时候呢？"

"要一直哭，一直哭，直到不想再哭为止。"

《彩虹色的花》

作者:(波)麦克·格雷涅茨　原作／图
　　　(日)细野绫子　文
译者:蒲蒲兰
出版社:二十一世纪出版社

　　这是一本讲述"馈赠与分享使精神长存"之母题的书。内容简单隽永,是米尼二十三个月时的大爱。

　　为什么孩子会喜欢这样的书?我想,大概因为许多大人总喜欢和孩子玩"把你手上的东西给我吧"这样的游戏,长此以往,即使最幼小的孩子也想弄明白"给予"这个行为的来龙去脉。于是在两岁前后物权意识萌发时,这本书就像朗月浮现在海面上那样,出现在他们心中。

这本书最精华之处，不在于讲述"牺牲使你永存世间"——这个令人厌恶的道理。相反，它力图展示掩藏在这一普世"伪真理"背后的真正恒定与可贵之物。因此，彩虹色的花最宝贵的、象征生命气息的最后一片花瓣，并不是用于馈赠，它仅仅是随——风——而——逝。这一细节彻底突破了当代中国所谓"牺牲至死"的惯性思维。生命即使不用来传播善，也会寂然流逝。分享，仅是享受生命的至高方式，并不是唯一方式。

这是一本直面诞生、死亡、升华的绘本，有望成为支撑婴幼儿价值观，并成为其灵魂一部分的重要书籍——而魔法，是你的身体力行。

父母有责任让孩子看到，丰盈的生命力不是用于固守的，也不能随意千金散尽还复来，它就像太阳之于彩虹色的花、彩虹色的花之于原野上的生命，是一物接一物地传承下去，遍布世间的。

《是谁嗯嗯在我的头上》

作者：(德) 维尔纳·霍尔茨瓦特　文
　　　(德) 沃尔夫·埃布鲁赫　图
译者：方素珍
出版社：河北教育出版社

有些幽默是自然而然存在在世界上的。像风筝在风里左摇右摆，像波浪一遍一遍把球送到岸上——那些孩子看到会捧腹爆笑的事物，它们的魔法是验证大人的童心。《是谁嗯嗯在我的头上》就是这样一本书。

我的意思并不是说乐于讨论屎尿屁的大人才是有童心的大人。但应不应该把"屎尿屁是污秽不堪之物""性有罪且隐秘不可告人"等观念传递给孩童，确实可以成为检验父母是否把自己道德观强加给了孩子的一个标准。屎尿屁、妈妈的乳房、爸爸或自己的阴茎，对许多敏感的婴幼儿而言，确实是自己也有却特异神秘的存在。

同孩子谈论身体，和同孩子直言生死一样需要父母的勇气。所幸如果父母在婴幼儿期就入手，需要挑战的只有自己的陈旧的道德感、虚假的权威感、非黑即白的生活观念而已。《是谁嗯嗯在我的头上》的大人阅读魔法在于，它传授了一个讲述原本"不堪启齿"事物的好态度、好方法。用幽默、诙谐的口吻，自然地、饶有趣味地将身体知识用浅显的方式告诉孩子。孩子会把它们当作呼吸一样，兴高采烈、毫无负担地纳入生命之中。

《有个老婆婆吞了一只苍蝇》

作者:(美) 西姆斯·塔贝克　文／图
译者:杨鹏
出版社:南海出版公司

作为一个手工白痴妈妈,我经常上网偷窥那些手工达人妈妈的博客。怀着嫉妒且眼热的心情,看她们怎么给孩子变出各种机巧玩具。

这本将撕纸拼贴、镂空和各种生活元素应用到极致的绘本一定是手工达人妈妈的菜。连我看了也因为活泼、变化万端的绘本工艺带来的艺术妙思而惊喜地叫起来。

这本书的魔法在于,它一定很对那些吃货孩子的脾气。老奶奶没完没了地吞东西,她最后……哈哈哈。艺术造就的复调绘本,值得推荐。

"洞洞书"系列

作者：（法）伊莎贝尔·平　文／图
译者：张悦
出版社：安徽少年儿童出版社

"洞洞书"系列是米尼九个月时收到的礼物。一岁前后，他一天要自己翻阅这套书几十次，常常捧腹大笑。直到如今已两岁四个月，还经常独自在书架前捧着这套书傻乐。我在网上推荐这套书后，回馈亦好评如潮。

这套号称"开创纸板书新纪元"的"法国国宝级童书"，一套两册，定价过百，即使通过网络购买价格也略高。但是，对于周岁左右的婴幼儿，它总是物超所值的。究其原因，在于这套书的魔法，就是对婴幼儿而言最珍贵的自由。

这套以镂空和翻页展现浩瀚天地以及一己之喜怒哀乐的奇思妙想书，用双层卡纸对裱，佐之以圆角书页。就算抱怨着"书放到我家宝宝手里，他也只会啃着吃"的妈妈也能放下心来。孩子可以从这套书开始，初次感受自己的手指翻动书页、划过书的每一个折痕时产生的奇妙而巨大的变化。因为这套书所展示的宇宙，就是为他们粗胖且生气勃勃的小手指而设计的，就是为他们的探索期而设计的。

有一段时间，一岁的米尼很喜欢像煞有介事地用他的小手指翻动《和我在一起的一天》中各式表情的人脸，和我展示什么是哭，什么是笑。但他越来越爱乃至痴迷的，还是卓有想象力的《小洞的故事》。从书封望下去，一眼望不到头的神秘洞穴上天入地无穷无尽，他一遍一遍屏息着紧张地翻下去，视线最终会下落到妈妈的肚脐前，然后他便哈哈大笑起来。

请放手触摸这个宇宙吧，孩子，我在你身后，而它向你全然洞开。

《晚安，工地上的车》

作者：（美）谢丽·达斯基·瑞科尔　文
　　　（美）汤姆·利希藤黑尔德　图
译者：崔维燕
出版社：湖北美术出版社

　　男孩都喜欢车绘本。在各种各样的车绘本中，显得粗犷有力、形状奇特的工程车是他们的大爱。这本绘本是工程车和睡前故事的完美结合。这本书的魔法在于，男孩都相信：连工程车都睡觉了，自己也必须睡觉了。

《蹦！》

作者：(日)松冈达英 文／图
译者：蒲蒲兰
出版社：二十一世纪出版社

一些爆破音词，会让宝宝觉得奇妙，因而屏息凝听。比如"BENG（蹦）"，比如"PU（噗）"。

《蹦！》这本书，六七个月、凝神注视父母嘴型的小宝宝就可以一起共读了。它的魔法在于，父母只要带着孩子真正蹦起来，他／她就能把这样有力量的词和真正的行为联系在一起，并因此哈哈大笑——而所有因为共读而打破常态、感受快乐的行为，都是非常珍贵的。它会让孩子在生命之初就热爱阅读。

　　米尼到一岁多时，依然很喜欢《蹦!》这本书。我们还发明了一个新读法。每翻开一个静止的动物图像，我就问他："蹦不蹦？""蹦!"他说。我就翻开下一页，动物果然飞跃起来。大伙儿蹦得姿态各异，把我们都逗乐了。碰到蹦不动的蜗牛，我们母子俩就一起教训它："你真是太懒了，你还得加把劲儿呢!"——是呀，米尼一直以为书里的小动物，是因为被他鼓舞着，才欢快地蹦起来的呢。

　　也因为这样，每次我朝他发出咒语，喊："蹦!"哪怕在海风呼啸、空寂无人的冬夜马路上，他也会乐颠颠地跳来跳去。

《我的爸爸叫焦尼》

作者：(瑞典) 波·R.汉伯格　文
　　　　(瑞典) 爱娃·艾瑞克松　图
译者：彭懿
出版社：湖北美术出版社

我们家是所谓"双城家庭"。米尼的爸爸在北京工作，隔一段时间才能回家住一两个月。我因为工作的缘故，也有频繁的短途出差。米尼出生后，我们家一起努力的目标之一，就是引导他成为没有分别焦虑、不必依附任何人而快乐的孩子。

孩子都惧怕分离。因为他们凭借直觉意识到自己仰仗父母生活，需要一个相对稳定的家。要让他们相信短暂分别并不会改变生活，父母需要勇气、诚意，并懂得放弃。

很高兴米尼从没有因为家里某个人离开而哭过。哪怕嘴里说着"爸爸，永远不要分开"，依然站在车站自个儿挥舞着双手目送爸爸起程。米尼战胜自我情绪的勇气，来自他相信生活是笃定可靠的。

《我的爸爸叫焦尼》算不算一本战胜分离焦虑的书呢？我说不上来。这本书太伤感了。以至于像我这样，坚持"必须让孩子看到生活真相"的人，也不禁怀疑一遍一遍共读这样的绘本算不算对分离焦虑的过度渲染？这本书在我们家的共读时间，都是在爸爸回来的夜晚。米尼和爸爸模仿书里的情节，一起搂着看书、碰杯。爸爸笑着听米尼一遍一遍地说："我爸爸叫李某某（爸爸的名字），他是世界上最好的爸爸！"

这样的时候，让家里每个人相信，分别是为了更好地相聚，让每个父母升起勇猛的信心。

如果你家碰巧也是"双城家庭"，一定要为孩子找一本"说给离开的爸爸（妈妈）的情书"。可以是《我的爸爸叫焦尼》，或是《我爸爸》，或是《你看起来好像很好吃》，或是……

孩子一片至诚的爱，温暖每个人回家的路。

《月亮的味道》

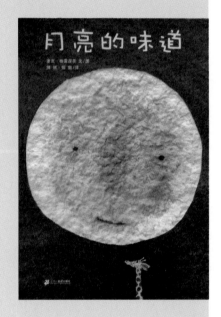

作者：(波) 麦克·格雷涅茨　文／图
译者：漪然　彭懿
出版社：二十一世纪出版社

　　这是在国内最畅销的"月亮"绘本。米尼接触得比较晚。看过《爸爸，我要月亮》后，动物们搭梯子吃月亮的冲击力似乎减弱了。但初次接触"月亮"绘本的孩子会觉得惊喜的。

　　这本书的魔法也在于"演绎"。穿行于夏日海边的薄暮中，月亮自遥远的晚霞中升起，天地转暗。我们爬上沙堆，仿着书里的图像搭人梯，米尼被高高地托在上面。大海之上，离天那么近。"吃到月亮了吗？吃——到——了——吗？"我仰着头艰难地喊。（没办法，他真是太肥了！）他在我肩膀上蹬腿蹬脚："好香！好甜！"

读《月亮的味道》，一定要在月色下搭次人梯啊！

《睡觉去，小怪物！》

作者：（比）马里奥·拉莫　文／图
译者：刘明
出版社：北京联合出版公司

　　孩子们有一个"发笑开关"：如果有人把他们调皮捣蛋的事情景重现，他们就会捧腹大笑。——虽然被骂的时候个个瞪着无辜的大眼睛，但这些小恶魔根本就知道自己在做坏事嘛！

　　《睡觉去，小怪物！》就是这样一本再现睡前父亲和孩子缠斗过程的绘本。其中每一个细节，都会让在"哄睡战争"中曾斗智斗勇过的父母和孩子身临其境。我特别喜欢这本书的画风，睡前的孩子真就是这样一副软硬不吃、横冲直撞、花招百出的破落户样子，而我们大人，也正是如此严肃地——恩威并施地——焦头烂额地——带着哀求地——恼羞成怒地——最后，满怀爱意地，一步一步看着他们进入每夜的甜梦之中。

看《睡觉去，小怪物！》时，米尼十九个月，话还说不连贯。但他看着书上小怪物的各种搞怪情节，马上心有灵犀且毫无愧疚感地笑得前仰后合。我在网上推荐后，得到许多回应也是说，这本书在孩子手上总是"笑果"十足。这本书的魔力就在于：在彼此的笑声中，在反刍生活艰辛的幽默中，我们将取得彼此的理解。

《点点点》

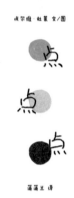

作者：（法）埃尔维·杜莱　文／图
译者：蒲蒲兰
出版社：二十一世纪出版社

众所周知，《点点点》是一本魔法书。

搬出一个老箱子，打开，煞有介事地吹开书封上的灰尘，小心翼翼地捧出来，压低声音说："来，今天让你看一本真正的魔法书，只有真正有魔力的孩子才能运用它。"《点点点》这本书在共读之前，值得做这些神秘的铺垫。

按一下"点"会变多，摸一摸"点"会变色，摇一摇"点"还会跑得到处都是……这本颠覆传统观念的创新绘本会让孩子感到神奇。我是在米尼懂得辨认颜色后，大概二十个月前后，拿出这本书共读的。辨认颜色、左右、略懂得次数差别——是应用本书最基本的要素。米尼觉得很是新鲜有趣。但回头想想，如果把这本书的共读时间推迟到两岁半之后，"运用自己的双手展示魔法"的惊喜度会更高。但又不能太晚，很快，孩子也会醍醐灌顶地跳起来，揭穿这套"把戏"。

如果这本魔法书还需要一个魔法加持的话，那便是：父母对孩子成长阶段最精确的掌握。希望这本书到达你孩子面前的时间，不迟不早。刚刚好让他"哇！"地大叫起来，不敢置信地盯着自己的手指看。

《小老鼠的漫长一夜》

作者：（英）戴安娜·亨德利　文
　　　（英）简·查普曼　图
译者：蒲蒲兰
出版社：二十一世纪出版社

我们家根据哄睡人不同有不同的睡前书。每个人根据"我和米尼会发生这样的互动，不会发生那样的互动"各取所需。《小老鼠的漫长一夜》适合分床睡、又千方百计要睡到大人床上的孩子们——最后他们还是得逞了！

米尼很喜欢这本书。二十二个月时，临睡前，他拿黑漆漆的眼睛看着窗外，说："这是小老鼠的漫长一夜啊！"在黑暗中，我拿脸贴着他暖呼呼的小脸。

成长既短且长，成长便是无数个一纵即逝的共眠夜晚。

《噗～噗～噗》

作者：（日）谷川俊太郎　文
　　　（日）元永定正　图
译者：（日）猿渡静子
出版社：南海出版公司

米尼还不会说话那会儿——一岁左右吧——有一个口头禅，读作："阿菩提"（音）。他在兴高采烈的时候说，在义愤填膺的时候说，哪怕一个人待着，也唠唠叨叨地说着："阿菩提阿菩提"。没有人知道这是什么意思。

每个孩子在即将开口说话前，都有一些神秘的、意思含糊的"婴语口头禅"。在现实生活中，父母秉承"引导他们进入人的世界"之理念，在他们说着"婴语"时，一遍一遍打断，耐心地用成形的语言向他们描述世界。从这个角度上说，《噗～噗～噗》是一本反其道而行之的绘本。

　　这本仅仅用极其简单的线条、图形、象声词组成的绘本是非常、非常、非常奇妙的存在。十个月以后乃至两岁前的孩子，和他们共读这本书，当你沉静地、老老实实地念着"噗——噗——噗——"时，他们常会安静下来，瞪大眼睛，倾听，最后情不自禁地大笑起来。这种笑，是兴奋于父母进入他们的世界。

　　这本书的魔法，在于真正有力量的理解，在于排除万难的平等信念。父母必须学着放下"你得听我的，我说的才是治世良言"的权威心态，放下自矜之心，甚至放下理智，放下界限和矫饰，仅仅为进入彼此的世界而朗读。没有任何注解、演绎，只能用你最简单，却最有冲击力的表情、动作、拟声词来"朗读"，来得到接受。

　　这本绘本，让我们回到亲子共读的原点。即：毫无附加条件的交融。后来，在许许多多次亲子共读的开场，面对很多两岁以下孩子的共读时，我都选择这本书为开头。就好像——就好像把自己变成大胖鲸，对那些游弋着的小鲸鱼们全身心表达诚意。他们就哈哈大笑，跑到我身边来。

　　这本绘本蕴含最好的、亘古不变的育儿理念。

《走开，绿色大怪物！》

作者：（美）爱德华·恩贝尔利　文／图
译者：余治莹
出版社：河北教育出版社

　　这是米尼二十三个月的时候共读的一本书。我妈形容说："在二楼都听得到你们母子声嘶力竭地喊'走开，怪物走开'的声音。"

　　这本绘本用镂空、色彩叠加等特殊工艺制造视觉上的小奇迹。用翻页的方式让形象叠加，使大绿怪物出现，然后又用遮挡的方法使怪物消失。当孩子们憋红着脸，对着书本大声喊："走开！妖怪走开！"而窥视着他们的妖怪真的应声而逝时，我总是想，这一瞬间，孩子心里一定充满勇气和自信吧。

让柔软的、常觉得无力自主的孩子，突然感受到"生而为人"的骄傲，是非常了不起的事。

在古希腊神话中，国王皮格马利翁爱上了一个自己雕塑的少女，爱神为此感动，赐予雕像生命，使之成为伉俪。由此，"皮格马利翁效应"成为一个人只要对艺术对象有执着的追求精神，便会发生艺术感应的代名词。

这本绘本的魔法，也是"皮格马利翁效应"的体现。在绘本导读上，家庭美育专家苏清华有一个很好的提议，她建议参照此书，让孩子们用撕、剪、贴的方法制造自己心中的"怪物"。

通过亲手制造来释放心中对怪物的恐惧，孩子会因此感受到人的神性，感受到艺术的神性。

《宝宝观察力训练》

作者：林怡育儿工作室　编著
出版社：上海科学普及出版社

在《0—2岁婴幼儿专注力培养之己见》中有专门介绍。如果在十八个月前后的亲子共读中你已经着手引导孩子进行跨页大图寻找、日常生活中的寻找。建议孩子二十至二十二个月龄时就可以从这套书入手，开启"专门寻找"的训练。

这套书对孩子的意义，在于让孩子熟悉看图寻找的初步方法。从这套书入手，过渡到《我的第一本专注力训练书》，和两岁后的

"DK 幼儿百科全书"系列(《第一套头脑体操书》),以及"视觉大发现"系列,就会很自然,孩子从中也能感受到自己的不断进步。

这套书对父母的意义,在于提醒父母,这世上万事万物都需要你的命名。对于命名过的事物,孩子付出努力,终能寻获。但没有命名、一向被你置之度外的事物,即使再敏锐的孩子也终无所获。成长中的孩子的视野,很大程度由你指给他们看的世界决定。

寻找的第一步——最重要的一步——最终的目的,都是:认识世界。

《小黑鱼》

作者：（美）李欧·李奥尼　文／图
译者：彭懿
出版社：南海出版公司

　　虽然在"骑鲸之旅"的阅读笔记中，作为对父母的阅读魔法书，我专门推荐了李奥尼的《田鼠阿佛》。但在两岁以下的亲子共读中，我最推荐且最受孩子待见的，还是这本《小黑鱼》。

　　米尼是在两岁之后开始流露出强烈的"交朋友"意愿的。喜欢和小朋友在一起，开始意识到孩子协同合作的力量，慢慢地，带着迟疑、留恋和欢悦，离开父母保护的臂膀。每当这个时候我就想，长大些的孩子，一定更懂得一群小鱼游在广袤大海里，以群力对抗恐惧的意义吧？那么二十二三个月时的孩子，究竟为什么深爱着《小黑鱼》这样的书呢？我实在想不明白。

我是从《小黑鱼》这本书的亲子共读中，慢慢相信婴幼儿有自己独特且高贵的审美品位的。米尼两岁以前最热爱，并念念不忘的书——《小黑鱼》《彩虹色的花》《亲爱的小鱼》《大卫，不可以》——都指向人类最美好的情感：生而有自由和热爱生命的权利；勇敢；慈悲与奉献。这些足以融入灵魂的书，混在芸芸众议中，哪怕蹒跚学步的孩子也能靠直觉找到它们。

米尼两岁生日那天（那段时间，他把《小黑鱼》看得滚瓜烂熟），我们带他去了海洋馆，看能随意吞噬生命的大鲨鱼，看成群嬉戏的小黑鱼，看"一个又一个生命奇迹"。

李欧·李奥尼的画风并不属于我最喜欢的那一类。但他的作品集是我唯一一次性通通收入囊中的。孩子需要由李欧·李奥尼这样慈爱、博大且不乏玄妙的智者引领。

他们终将在生命中千百次回忆起李欧·李奥尼，并感谢他的赠予。

"小熊宝宝绘本"系列

作者：（日）佐佐木洋子　文／图
译者：蒲蒲兰
出版社：连环画出版社

　　有段时间，我请求0—2岁孩子的妈妈们推荐她们认为"最能引起孩子呼应"的绘本。有好几个妈妈推荐了这套"小熊宝宝绘本"系列。

　　买下这套书的时候，米尼已经二十一个月。有简单逻辑情节、蕴含丰富情感的绘本开始呼唤他。对他来说这套书太简单，他翻了翻就丢下了。

　　所以我没有办法提供这套书的共读体验魔法。但我直觉对十八个月左右的婴幼儿而言，这套书的魔法会更显著。另外，这套书性价比很高，也是一岁至一岁半孩子尝试共读时很好的选择。

"找朋友系列神奇立体书"

作者:（英）普莱格尔　文／图
译者:荣信文化产业公司
出版社:陕西旅游出版社

　　虽然稍显奢侈，但是给一岁前后的孩子买一套弹性精装立体书，他们会非常高兴的。

　　这时候的孩子心理上还属于"一叶障目"的阶段，捂起来看不见的东西，他们一律认为不存在。因此，当我们用手捂住脸，再放开手时，他们会因为我们的脸"变出来了"而惊喜不已。在米尼几个月时，这样的游戏我们一天要玩几百次。

　　米尼十一个月时得到了这套

立体书，狂喜不已。书里的动物们永远和他进行着乐此不疲的捉迷藏。

也许不是这套立体书，别的立体书也会让他那么开心吧。只要那套书的魔力是：捉迷藏。

同样价格不菲，比起触摸书，我还是比较倾向于购买翻翻立体书的。关于通过触摸而了解事物立体感这种事，我一向认为，只要父母稍稍放下"要讲卫生"的我执，孩子就能感受世界，通过在呆板的书本上抚摸几片人造毛来想象细腻而丰富的触感，真是可怜的人生。

当然，要是你有时间陪孩子玩躲猫猫的游戏，孩子也会抛下立体书，开心地笑着，飞快地朝你跑来。

不要让阅读成为独立感受世界的替代品。

《大卫，不可以》

作者：(美) 大卫·香农　文／图
译者：余治莹
出版社：河北教育出版社

终于讲到这本最、最、最好玩的绘本了——即使我正认真勤奋地写着书稿，看到这本书也会忍不住莞尔。

我一直认为，二十个月以后的孩子，百分之九十八的男孩以及百分之八十的女孩都会喜欢这本经典绘本。这几乎是孩子们调皮捣蛋的实录。

米尼一直认为这本书叫《米尼，不可以》。因为这本书画的就是他自己啊！——嗯？难道不是吗？

我总是兴冲冲地和人推荐这本书，买来十几本馈赠给米尼的小哥们儿。没错，孩子都会一眼爱上大卫。要是把两岁以下的孩子组织起来，评选"因为不停共读被翻烂的书之TOP10"，《大卫，不可以》必然高居榜首。

　　但直到后来，我才发现有些父母对这本书怀抱隐忧。"看了你的推荐买了这本书，没想到孩子开始模仿大卫捣蛋了！""这本书对教育孩子成长作用不大。""大卫这样调皮的孩子太可恶了，根本不应该被画成书。"——有的家长这样对我说。

　　父母和孩子所缔结的"生活场"，不应该被做人的道理，社会的规矩，指向明确、功利心十足的教育理念所塞满。亲密关系中有一些极其美好的情感值得拥有：幽默、自省、互谅和宽容。这些情感屹立在一地鸡毛的琐碎生活之上，屹立在偶尔不免剑拔弩张的亲子关系之上，持续表达着爱。

　　这本书有千百万的魔法，对家长而言，最具警醒意义的魔法在于，本书通过绘画所表达的亲子关系之尺寸。唠唠叨叨、忧心忡忡地念叨着"不可以"的父母，没有出现在画纸上，暗喻着对沉浸在自满自足快乐里、调皮捣蛋的孩子来说，规矩和道理通常只是耳旁风。但那些保持旁观姿态，鼓励他们自由，却仍然时刻现身说法的爸爸妈妈——他们的爱终究会进入孩子的灵魂，形成孩子真正的道德观。最后，在绘本里，妈妈以"怀抱"的形式出现，恰恰说明爱是亲子关系中最好的弥合剂。

本书作者大卫·香农在作者小语中说，这本书的灵感来自他长大后，母亲给他寄来自己孩提时的画稿。画稿里画满他小时候各种不允许做的事情，里头的文字只有"DAVID"（大卫）和"NO"（不可以），这是作者五岁时唯一会写的字。大卫·香农以此重新创作了这本后来誉满全球的绘本《大卫，不可以》。这个因果圆满的故事凌越在绘本之上，见证着父母足够漫长、足够耐心的等待。

孩子会让这样的等待不至空费。

《布朗家的天才宝宝》

作者：（英）西蒙·詹姆斯　文／图
译者：翌平
出版社：湖北美术出版社

这套书是平装，看起来其貌不扬。它说的是一个天才人气宝宝总在马上要成为偶像级婴儿（要么正在漫游太空，要么正在开个人演唱会）时，突然害怕起来，号啕大哭，决定回家做妈妈的乖宝贝的故事。

不知道为什么，刚满两岁的米尼看了，理直气壮地认为："没错啊，这么能干的宝宝就是我！"有一天他指着布朗宝宝的图大声对我说："米尼会在黑板上写字（其实只是涂鸦嘛）、会看书、会搭积木（其实只是最低级的垒高高嘛）、会打电脑（其实只是乱按键盘嘛）、会弹吉他（其实只是乱拨弦嘛）。米尼就是超级明星天才宝宝！"全家大人搂在一起吐了口酸水，忍了。

自此以后，每当他做了什么令自己得意洋洋的事，就会引用这套书里的话大吹大擂。比如鼓足勇气在公园的蹦蹦床上跳跃，哪怕跳得最低，也会喘着粗气炫技似的喊："快看啊，天才宝宝！超级明星！"要是眼光能伤人，旁边大孩子鄙夷的眼神能把他击穿。

"我们别做天才宝宝了好不好？"因为怕他日后进幼儿园被暴扁，我跟他商量。他认真地考虑了一会儿，说："好吧，我就留在这里，做你的小宝贝吧！"（语出《逃家小兔》）。

谢谢，你真慷慨。

《逃家小兔》

作者: (美) 玛格丽特·怀斯·布朗 文
　　　(美) 克雷门·赫德 图
译者: 黄迺毓
出版社: 明天出版社

　　从米尼十四个月开始，晚上临睡前吃奶时，我就给他读《逃家小兔》。这本绘本对我俩的共读生涯有标志性的意义。这是第一本我老老实实逐字读下去，念了不止一千遍的绘本。

　　这本绘本的魔法，应该是在我读第一千遍的时候骤然焕发的吧。现在闭上眼睛，我能想象到在夜晚安静的床上，不可思议的魔法在我和米尼心中光芒大绽的样子。

在读这本绘本之前，我是一个非常自矜的共读妈妈，从来不认为应该按书上写的读，认为"自己编的都比书上写的高明"。玛格丽特·怀斯·布朗是一个文采卓越的诗人，正因为《逃家小兔》太出色了，我改不了任何一个字，才开始学着耐下心，一遍一遍地读书。

　　共读时"逐字读诵"的魔法，因此开始发酵。从十四个月开始，米尼每天晚上都要求听这本绘本，当时，他正牙牙学语。从单字蹦到几个词连读，最后，在不知不觉中，他把整本《逃家小兔》读了个滚瓜烂熟。

　　——在孩子学说话的阶段，几乎每个家庭都会遇到这样一本书（或一首诗、一段歌谣），孩子在某一个时刻突然能把它全部展现给你，接着是第二本、第三本……这样的"第一本"值得铭记。但我赞叹的魔法不是记忆力，而是共读时的安全感。

　　"骑鲸之旅"阅读笔记中曾写过，婴幼儿并不需要千奇百怪、眼花缭乱的描绘与解释。就像对万事万物命名一样，他们需要固定的"那一个"。因此，他们更喜欢不厌其烦地重复阅读，这使他们觉得笃定，觉得世界并不虚无缥缈。相反，世界有章可循，人世是可以沿着熟悉的路一而再、再而三抵达的处所。他们灵魂中的安全感，就在父母的千百次朗读中累积奠定。

　　这本书对我的魔法，则是打破我执。遇到这本书之前，我遇事总不免带着成见、肆意臧否。千百次怀抱爱意、把自己全然交出去的朗读或多或少打破了我自己。

　　提醒我回忆起，共读并不是为我的喜好、我的才华与阅读而朗读，共读是灵魂之约。

　　提醒我，成长总需要全然的相信。

《两列小火车》

作者：(美) 玛格丽特·怀斯·布朗　文
　　　(美) 利奥　戴安娜·狄龙　图
译者：谭海澄
出版社：河北教育出版社

在米尼两岁前接触到的以优美辞藻见长的绘本中，我印象最深刻的是《逃家小兔》《两列小火车》《亲爱的小鱼》和《圆圆的月亮》。

读完《逃家小兔》后，由同样是玛格丽特·怀斯·布朗写的《两列小火车》接档。依旧在喝夜奶时间朗读。米尼是爱车小男孩，看到《两列小火车》自然欢欣鼓舞。

由于工作的关系，怀孕至今，我经常坐动车奔波两地。读《两列小火车》时便带米尼出了趟差，当动车呼啸着经过田野和群山时，我们倚在窗口，一句句读这本绘本，视野之内，霞光满天。

回来时，我送给米尼一辆玩具绿皮火车。我们用胶纸在地上贴出轨道线，像绘本中说的那样，我们的绿皮火车经过高山、桥梁、隧道、长河，到达西方的边界。

这本书的魔法，在于经历。不仅经历漫长旅程，经历变化万端之景物，还要经历绘本中那些平淡但人生必经的形容词：又深又暗的、亮晶晶的、湿漉漉的、毛茸茸的……孩子需要你拉着他们的小手，体验旅程中的酸甜苦辣。

这本书的魔法，在于让这些形容词真正降临到孩子的心田。只有这样，他们所经历的千山万水才是有意义的。

《森林大会》

作者：（美）玛丽·荷·艾斯　文／图

译者：邢培健

出版社：南海出版公司

　　这本绘本的魔法，和《月亮的味道》一样，只能用"演"呼唤感受。

　　森林里的动物们轮流表演自己的绝活。轮到旁观的小男孩，他"用脑袋倒立，又试着用鼻子捡起地上的花生。真是太好玩了，我忍不住笑了起来"。后来"老象用长鼻子挠我的痒痒，我又大笑起来"。动物们认为"笑"是最棒的绝活。连小男孩的爸爸都说，自己也想像小男孩那样笑。

上文引号部分的文字，在共读中被我和米尼演绎了几百次。以至于米尼一拿起这本书，就头朝下表演倒立，顺便翻个跟头，哈哈大笑起来。

　　我也想像孩子们这样笑呢。也想像此刻的米尼一样，把阅读视为最欢愉最有趣的游戏。

《第五个》

作者：（德）恩斯特·杨德尔　文

　　　（德）诺尔曼·荣格　图

译者：三禾

出版社：南海出版公司

在我害怕的时候，我最反感别人对我说："不许怕！""这根本没什么好怕的！"我会不可抑制地感到更害怕，且在害怕的情绪中倍感孤单。

大多数人也和我一样吧。因此，那些能说服大众克服和超越恐惧的人／物显得很有力量。对婴幼儿来说，《第五个》也是这样一本"有力量"的绘本。

一群小玩具在黑漆漆透着灯光的小屋子前列队坐着，一只轮着一只走进小屋去——再走出来，断了鼻子的小木偶排在最后，怀着越来越忐忑和孤独的心情，等待着自己未知的命运。对孩子而言，这样的故事不啻于为他们量身订制的"悬疑大片"了吧。

小屋子里究竟有什么？小木偶的命运会怎样？当绘本翻到最后一页，图画视角像镜头一样有了偏移，我们顺着小木偶的目光，看到小屋子里站着一位笑眯眯的、为玩具们疗伤的大夫，一切才恍然大悟。

孩子们向来以感性为主导认识世界。在他们心中，疾病的痛苦比起在陌生又冰冷的医院接受各种莫测的诊断所带来的痛苦，要小得多吧。不，不仅是看病，所有陌生、无法自主的命运，都是柔弱的孩子们心中最大的恐怖。

这本书的魔法，不在于鼓励孩子"不要害怕"，而仅仅是向孩子描绘"你害怕的是什么"。然而，对孩子而言，千百次描绘"害怕"本身，已使"害怕"显得不那么陌生、不那么超乎想象。这是最大的宽慰和加持。

米尼和许多孩子一样，一遍一遍沉着脸、紧握着我的手、提心吊胆地看这本绘本，直到最后一页，骤然放下心来，仰头冲我笑起来。

真好。孩子需要你直言相告，以接受这个世界最难以忍受的那一部分。

《鳄鱼怕怕牙医怕怕》

作者：（日）五味太郎　文／图
译者：台北上谊文化实业有限公司编辑部
出版社：明天出版社

这是一本著名的，而且很奇怪的绘本。之所以说它"奇怪"，是因为在婴幼儿绘本中，它罕见地提供了双角度，不仅告诉我们鳄鱼如何怕补牙，如何不想见到牙医，也同时展现了牙医如何怕鳄鱼的利齿，如何不想见到鳄鱼……要知道，这个时期的孩子，一旦心里有什么念头，就以为全世界的人都这样想呢！

共读本书后的一天，我去补牙，带上米尼和这本绘本见了我的牙医。牙医阿姨解下白口罩，拿着模具细细地和米尼讲"牙医给小朋友看牙齿的时候心里也很紧张""蛀牙的原因"以及"小朋友为什么要认真刷牙"。两岁的米尼理解不了那么多道理，但这趟牙科诊所行让他开始对这本书印象深刻。我们经常在刷牙前翻阅它，然后喊着"一定不要忘记刷牙哦"一起奔着寻找自己的牙刷。

在五岁前，只要谈及"牙齿"话题，这本绘本能持续不断发挥魔法。

《小蓝和小黄》

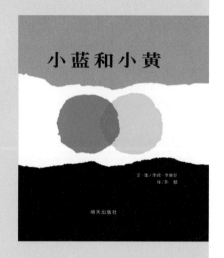

作者:（美）李欧·李奥尼　文／图
译者:彭懿
出版社:明天出版社

　　这是一本用想象力打破常规叙事方式的书。

　　共读时，米尼对它反应一般。但我们试着使用水彩再现"小蓝和小黄"故事时，他很积极，用不同的水彩调出各种各样的颜色。

　　从孩子学习颜色开始，这本书的魔法会开始发挥。到三岁前后达到一个高峰。

　　我也正拭目以待。

《红豆与菲比》

作者：(美) 彼得·麦卡蒂　文／图
译者：宗玉印
出版社：河北教育出版社

　　喜欢猫猫狗狗的小朋友和父母必入的书。麦卡蒂笔下的猫狗绝不是毫无涵养的卡通形象，也不是写实派，它们都有一副或疏淡、或恃才傲物、或古灵精怪的童趣形象。

　　这本书的另一个魔法在于，它和《鳄鱼怕怕牙医怕怕》一样，为孩子提供了双视角。"看，小猫和小狗过的，是截然不同的人生。"每当我爸我妈在楼上摆起麻将席，我就这样解释给米尼听："每个人的人生都是不同的，因此，外婆外公打牌的时候，米尼照常按时睡觉就好了。"

　　于是，米尼就香喷喷地进入梦乡里了。

《小塞尔采蓝莓》

作者：（美）罗伯特·麦克洛斯基　文／图
译者：崔维燕
出版社：二十一世纪出版社

比起罗伯特·麦克洛斯基大名鼎鼎的《让路给小鸭子》，两岁前后的米尼更喜欢《小塞尔采蓝莓》。

《小塞尔采蓝莓》的母题，有点像明清传奇中的"喜相逢"：小塞尔和妈妈到山上采蓝莓，预备冬天做果酱用；小塞尔一味贪吃蓝莓，和妈妈走失了；恰巧小熊和熊妈妈也在山上吃蓝莓；小塞尔跟上了熊妈妈，小熊跟上了小塞尔的妈妈；在蓝莓山上，他们都跟错了妈妈，所幸，妈妈们还是很快找到了自己的孩子——有惊无险的悬念故事，皆大欢喜的团圆结局。

"我女儿很喜欢这本书，看到小塞尔找不到妈妈，眼睛瞪得大大的，大气也不敢出。直到书里母女重逢，才笑出声来。"有位妈妈这样跟我说。是啊，像大人们喜欢看"喜相逢"故事一样，大部分婴幼儿也喜欢"找妈妈"主题的故事。因为贪吃把妈妈丢了，不过妈妈总会找到我——孩子们认同这样的情节逻辑，在此之中体验离别的担忧和重逢的喜悦。

许多贪吃的孩子，会像米尼一样，还特别喜欢看小塞尔在蓝莓山上自由自在胡吃海塞蓝莓的样子。有一天，米尼扶着墙用力踩脚。我问他在干什么。"我在踩（采）蓝莓啊！"他振振有词地说。我差点闭过气去。原来，他一直认为所谓的采蓝莓，得用脚"踩"！我火速把他带到草莓田里，让他体验了一把真正的采水果的乐趣。

共读这本书时，一定要组织一次亲子采摘，一定要吃一次真正的、小塞尔吃过的"蓝莓果酱"。

《强强的月亮》

作者：(西班牙）卡门凡佐尔　文／图
译者：郝广才
出版社：湖北美术出版社

　　米尼在二十二个月前后，进入所谓的"叛逆期"。凡事强调"自己做"，要是别人稍加援手或稍给建议，就会大为光火。所谓"叛逆期"，就是怀着刚愎自用的想法，意图挑战命运，进而掌控世界吧。我总忍俊不禁地这样想，并以此自省。

　　这段时期，有三本书对他意义重大：《强强的月亮》《魔奇魔奇树》和《月光男孩》。三本书中的小男孩均担负某种使命而独自历险，终获成功。这三本书圆满着时近两岁的孩子"力定乾坤"的想象，给他带来崭新的看待家庭和世界的视点。

《强强的月亮》讲述了海边男孩强强如何带着月亮一起沉入深海，拯救渔夫爸爸灵魂的故事。因为同样住在海边，与海终日相对，熟悉温柔的海、阴霾的海、狂暴的海，熟悉君临万物的海上悬月，米尼一下就喜欢上这本书。

这本书的魔法，在于告诉两岁的自主意识萌芽的孩子两件事：其一，这个世界并不与你为敌，也许有时候它会对你表露凶残暴虐的一面，请你视之为挑战，只要你勇往直前，整个天地都会庇护你；其二，亲人并不是你的障碍，孔武有力、无所不能的大人也可能需要你的保护和体恤。你是家庭不可或缺的保护者。孩子意识到这些道理之初，便是开启他们责任感与担当之始。

善于引导孩子每一个"坏"情绪，灵魂便会始终行进在成长的路上。

在每一个"坏"情绪中与孩子做困兽之争，人生只能成为漫无终结的"叛逆期"。

《魔奇魔奇树》

作者：（日）齐藤隆介　文
　　　　（日）泷平二郎　图
译者：彭懿
出版社：新星出版社

小时候看中国传统动画片长大的我，每次看到《魔奇魔奇树》中极具民间特色的剪贴画，心中会由衷地升起"要开始讲故事了，好开心"的想法。

据说，《魔奇魔奇树》的文字作者齐藤隆介在日本儿童文学圈是个另类人物。他认为，儿童文学不该只谈"有趣、让孩子快乐"的事。从某一个角度说，我同意他的观点。

在——博取孩子欢心，为孩

子建立一个无菌的童话世界——这条儿童阅读的道路上，我们走得太远了。以至于我忧心忡忡，不知道以"公主＋王子＋白马＋宫殿＋华服＋幸福生活"为营养餐饱食终日的孩子，成人后怎么面对真实社会。

如果必须在"永远美好的童话"和"真实惨淡的生活"之中做出选择，孩子心中会蕴藏极大怒意吧。"被欺骗了！""童话都是假的！""所以大人说的道理也都是假的！"怀着这样的心情，一手击碎孩提时自己建立的幻想王国。这是多么令人痛心的事。

不，儿童文学不该是埋伏在未来的炸弹。

《魔奇魔奇树》和许多优秀的绘本，以及很多最高级的童话、儿童读物，对一味奢求"给孩子营造无菌空间"的父母之心，是个启示。要知道，智慧坦率的心灵都选择把这个世界的真相告诉孩子。

——孩子，此世界上，有黑暗、有贫穷、有离别、有死亡、有孤独乏力、有一蹶不振……然而，唯静默，生语言；唯黑暗，成光明；唯死亡，得再生。历经千百劫依旧光芒璀璨的浩瀚苍穹之中，自有其高贵和不朽的灵魂。

这本绘本的巨大魔法，就蕴藏此间。

在这本已卖出百万册的绘本中，孩子大都会把眼光长久停留在相同的两页上。其一，胆小的小豆太一边害怕地流着眼泪，一边在深夜无人的山路上发足狂奔。黑暗如此狰狞恐怖，但没有什么比最爱的爷爷死去更可怕的事了！其二，雪夜里，传说中只为勇敢的心发光的魔奇魔奇树绽放璀璨光芒。

每当读到这里，一岁多的米尼就高喊着"保护爷爷，保护爷爷！"跑出房门，找到我爸，用力地抱紧他。哪怕一岁多的孩子也懂得勇气和爱的联系，也有自己要守护的事物。

世界是真实且残缺的，当孩子们把爱和勇气投入这样的世界，且勇往直前、毫无悔意时，这样的爱才令人震撼。

《月光男孩》

作者：（丹麦）依卜·斯旁·奥尔森　文／图
译者：杨玲玲　彭懿
出版社：湖北美术出版社

　　《月光男孩》从排版到绘图，都是很独特的绘本。竖版，叙述画面犹如高速摄影机，记录与描绘月光男孩从天而降，寻找"水中之月"的过程。

　　婴幼儿有无穷无尽的问题需要解答。比如，他们会想知道：天上有什么？天上的天上有什么？更高的天上呢？《月光男孩》就是一个沿着自上而下的逆顺序，沿着他们想象力的轨迹展开的故事。

　　米尼一直认为自己就是"月光男孩"，这是他的登月科幻书。

《圆圆的月亮》

作者：（日）安井季子　文
　　　　（日）叶祥明　图
译者：思铭
校订：彭懿
出版社：中国电力出版社

文图相得益彰的绘本。也是米尼的大爱。

以前，我和许多父母想的一样，认为两岁前的孩子，因为专注力不够持久，对词汇的感受度不高，对文字略长的绘本接受度会比较差。

但米尼两岁前，我们对《逃家小兔》《亲爱的小鱼》《两列小火车》和《圆圆的月亮》的共读彻底打破我之前的想法。第一次朗读，选择孩子"放空"时（如喝奶时、入睡前）小声共读文辞绚丽、画面优美、旋律萦绕重复的绘本，就像给他们加件被子一样，会被安然接受的。在此后的共读中也会是顺理成章的。

之所以推荐在孩子一岁多时读点"诗歌一样"的绘本，像我之前说过的那样，这有利于打破家长的我执。那些出自大师手笔，充溢着无法增减之美的绘本，总会催促父母收起傲慢之心，老老实实念起绘本上的字。

从另一方面说，在孩子两岁前，读"诗歌一样"的绘本也比让他们背诵毫无解析、毫无画面旁注的古诗强。孩子注视着图画，一点一点明了诗歌的意思，就像风吹乌云，终见朗月一样，心灵豁然开朗。

有一位妈妈跟我说，那些"诗歌一样"的绘本里，夹杂着很多书面语。比如"仰望""广阔""深邃"，共读的时候怕孩子不理解，要不要把这些词改成"抬头看""大大的""深深的"，再读给孩子听呢？

我的意见是，你可以用各种方法给孩子解释那些蕴含深意的词，但请在共读时保有它们。孩子终究会与它们相遇。他们分享我们描述的世界，不仅仅是这个世界的表层，也有权享受其中至高至美之所在。

让最美的词安静地滋润他们的心田。

《你看起来好像很好吃》

作者：（日）宫西达也　文／图
译者：杨文
出版社：二十一世纪出版社

两岁前，宫西达也的"恐龙"系列，米尼看得进去的就是这本《你看起来好像很好吃》。也许因为我们家过的是双城生活，他爸爸间或到外地工作，他对父子离别的感情理解得特别深刻吧。

当他爸爸回来的时候，他会搂着爸爸，皱着鼻子，模仿甲龙爸爸的样子，说："绝对绝对不要分开。"也总在爸爸面前说"我要长得像爸爸一样！"这样拍马屁的话。

《你看起来好像很好吃》《我爸爸》《我爸爸叫焦尼》这几本绘本的魔法，是父子共读的一个开端。爸爸们读起"谄媚自己"的绘本可是一点都不脸红呢。他们会在孩子崇拜的目光中，大声读着"我爸爸真的好棒！"这样的话。

　　共读不该是母亲（或父亲）一个人的孤军奋战，它呼唤家庭合力，因此，一定要量身备上——爷爷奶奶拿手的书、爸爸喜欢的书、妈妈喜欢的书——大家分别读自己喜欢的书给孩子听，孩子就会觉得：阅读是人人喜爱的、了不起的事情。

《脸，脸，各种各样的脸》

作者：（日）柳原良平　文／图
译者：小林　小熊
出版社：少年儿童出版社

　　"幼幼成长图画书"系列对于0—2岁（尤其是一岁半之前）的婴幼儿来说，是非常安全且卓越的推荐。之所以说"安全"，是因为它所涵盖的话题，如：吃喝、穿戴、和妈妈亲吻、人的表情、月亮、交通工具……是所有婴幼儿都关心的"热点话题"。不论性别、兴趣偏好，大部分一岁左右的婴幼儿都会被这套书吸引的。我经常想象，要是周岁婴儿们能举办一个"我们热推图书TOP10"排名活动，"幼幼成长图画书"系列中必有图书上榜。

　　米尼满月时，一位涉猎儿童心理研究的朋友送来"幼幼成长图画书"系列第一辑，并跟我们说："空闲的时候可以让他看看，他能看懂的。""好啊。"我虚应着，把书丢在一边。作为一个百事待举的新妈妈，和一个两个月大的新生儿共读，是可以排在"每天我必须做的事"一百名以外的了。

　　在米尼两个多月时，有一天我无聊，便把这套书搬出来，一本一本翻开，并饶有趣味地探究他的表情。《脸，脸，各种各样的脸》显然是最能吸引他注意力的书。

　　当时，米尼正在"学"一种技能，每家每户襁褓之中的婴儿都学过，就是效仿抚弄他的大人，把舌头顶在上颚，发出清脆的"嗒"声。我们俩常玩这样的游戏，乐此不疲。看这本书时，两个多月的婴儿已经会把视线聚焦在书页上，停一段时间——等他觉得自己看够这页时，他会把舌头顶在上颚，发出"嗒"的声音。我就翻开下一页，再等着。

　　就这样，我们看完一整本书。

　　米尼在看书时发出"嗒、嗒、嗒"的声音，是在呼唤我吗？米尼是否意识到当时所见，和之前他所看到的一切事物有所不同？初次共读时发生的这些事究竟是纯粹巧合，是母亲一厢情愿的臆想，还是符合婴儿喜好的行为指向？我不知道，也永远不可能知道了。

不过，事隔两年后，在许多亲子共读的交流场合中我得知，确实有许多小月龄的婴儿在共读《脸，脸，各种各样的脸》时产生过不同的呼应。柳原良平使用大色块的绘图方式吸引着他们。

不，不，不仅如此。哪怕同样是大色块的图片，他们心里也在为妈妈没有拿来野心勃勃却强人所难的色卡、认物图，而是拿来真正的书本而雀跃吧！

阅读第一次来到他们眼前时，并不是摆出"孩子！你该学习了！"的嘴脸，而是平和地对他们讲述世界。这是最值得庆幸的事。

直到今天，我依然记得第一次打开《脸，脸，各种各样的脸》时，房间里洒满的初冬阳光，记得米尼唇齿之间的"嗒嗒"作响。我永远感激那位送米尼书，并坚信襁褓中的他已经足以与之共谈世界的朋友。

送孩子书，在他面前打开书，都是巨大的功德。

《夜色下的小屋》

作者：（美）苏珊·玛丽·斯万森　文
　　　（美）贝斯·克罗姆斯　图

译者：赵可

出版社：新星出版社

这本书的魔法在于：用英文阅

读棒极了。

"中国优秀图画书典藏"系列合集

作者: 黄毅民　等
出版社: 贵州人民出版社

中国老版图画书，一直因为"说教性太强""装帧设计毫无美感"而遭到诟病。但我们家依然存着中国老版图画书。米尼还经常绘声绘色地自导自演起《猴子捞月》《小猫钓鱼》《小马过河》等故事。

那是因为这些故事都为我爸爸妈妈所津津乐道。多年前，他们讲着这些故事养育了我，现在他们又可以为自己的孙子讲这些故事。

婴幼儿对故事是不是说着大道理并不像我们想的那么敏感。他们更注重的，是爷爷奶奶带着笑把他们拥在怀里，用苍老又悠长的口吻说："很早很早以前哪——"能听老人描述世界是孩子的福气。

　　"中国优秀图画书典藏"系列合集至今为止一共十六辑，涵盖中国现当代许多赫赫有名的漫画家、童书作家作品，是由蒲公英童书馆对中国原创图画书进行整理，并重新出版的。可以选择礼盒装，挑作家选择其重要作品更是高性价比的选择。

　　这套书的魔法，是共读最本源的意义，即跨越世代隔阂的天伦重聚。

《母鸡萝丝去散步》

作者:（美）佩特·哈群斯　文／图
译者:台北上谊文化实业有限公司编辑部
出版社:明天出版社

　　这本知名绘本像一个连轴画卷。我们通常喜欢把绘本通读一遍,然后翻到扉页上的农场全景图,再把每一个细节重温一遍。米尼像看地图一样看得很认真。

　　但他两岁时对这本绘本的感受也仅仅至此。据说也有许多孩子很喜欢这本书。

《大雨哗啦哗啦下》

作者：（美）大卫·香农 文／图
译者：王林
出版社：南海出版公司

两岁之前的亲子共读，米尼喜欢大卫·香农几乎所有的作品，包括"海盗"系列和这本《大雨哗啦哗啦下》。

但我认为"海盗"系列对两岁以下的孩子来说，还是深了些。他们会因为某个画面哈哈大笑起来，但不能理解整本书的全部意义。不过，《大雨哗啦哗啦下》却非常值得推荐。

这是一本多视角的经典绘本。突然下起倾盆大雨的一刻，一整条街上的人各自遇上什么事？大卫·香农用分镜头的形式一一展现。

婴幼儿比我们想象的更具观察力。当我们还在为"这本书是不是人物过多，孩子能不能理解"的问题絮叨时，他们早已喜欢上这本绘本。

孩子本来就成长在多视角、一片喧嚣的生活之中。因此，绘本中许多流露强烈生活气息的细小之物，玩具、枕头、积木、奶奶的菜篮、妈妈的菜刀……往往引得他们瞪大眼睛，认真去看。《大雨哗啦哗啦下》就是这样一本用琐碎、细节、人物细微动作表情罗织而成的绘本。像孩子坐着婴儿车所经历的历历街景。他们因此会心地笑出声来。

和《母鸡萝丝去散步》一样，这本书的精读诀窍，在那页俯瞰街道的长镜头画面之中。引导孩子一一找到书中对应的人物，也是非常好的专注力训练游戏。

《我们要去捉狗熊》

作者：(英) 迈克尔·罗森　文

　　　　(英) 海伦·奥克森伯里　图

译者：林良

出版社：河北教育出版社

　　孩子两岁后，对世界开始怀抱雄心。有时候我旁观着他们喊打喊杀地朝广袤无垠的天地跑去，总好奇着他们这样的勇气源自何处——也许根源于他们气势磅礴的生命力吧。

　　这时候的孩子，如果喜欢郊游，喜欢窥视洞穴，喜欢假作害怕、借故躲在被窝里——他们十有八九就会喜欢《我们要去捉狗熊》这本书。

　　一家人，想象着自己要去捉

狗熊，气势汹汹地向天地发出挑战，他们排除万难，真遇上了狗熊！哗，拔腿就往家里跑，躲进被窝去，再也不去捉狗熊了！——如果你从一岁左右开始亲子共读，孩子进入两岁，你会发现他的阅读趣味有了一个极其明显的变化。那些充满戏剧感、有始有终、富有逻辑情节的故事会受到他们由衷的喜爱。类似《我们要去捉狗熊》这样身历其境的纸上表演，就赢得了米尼的热烈欢迎。

在我们家，这本书的魔法在于睡前狂欢的终结。有段时间，在共读的末尾，我会拿出这本书，当说到"躲进被窝"时，我和米尼一起钻进被子里，搂着，面面相觑，发抖着互相告诫说："我们再也不去捉狗熊了！"

我趁机关了灯。结束一天的梦幻周游。

《亲爱的小鱼》

作者：（法）安德烈·德昂　文／图
译者：余治莹
出版社：河北教育出版社

　　有时候我想，许多许多年后，随着成长，米尼渐行渐远，我的怀抱也不再有母子相拥共读的温暖记忆——当老年来临，我把许多事都忘记了，我们共读的所有图书都埋进灵魂和岁月的烟尘里。

　　可是，我永远不会忘记这本书，不会忘记米尼一个字一个字读着它时，我如何热泪盈眶。

　　《亲爱的小鱼》，法国绘本大师安德烈·德昂充满童心的佳作，一只猫爱上一只小鱼，当小鱼渐渐长大时，猫把它带到海边，让它得到自由。猫在海边日复一日等着小鱼，它丢出自己唯一的帽子，帽子随波逐流。当看到小鱼带着帽子回来，猫多么开心啊！它决定和小鱼一起去远航，在长着棕榈树的小岛上一起玩耍。猫亲着小鱼，它说："我知道你也爱我，我让你自由，你却回来了。"

这本绘本，从米尼十九个月开始，我天天读给他听。在一个普通的、觉得世事茫茫难以自控的母亲心中，这是一封写给未来孩子的书信。亲爱的米尼，你终究会越长越大，天地之广，任你周游。而我会总在这里，心怀重逢的期待。

那段时间，一个喜欢四处周游的好朋友在我家居留。我们逗米尼和她说"情话"。好似鬼使神差，米尼总捧着她的脸，用略带含糊的童音认真对她讲："我知道你也爱我，我让你自由，而你却回来了。"大人们引为笑谈。

又隔了一段时间，我得出一趟长差。一天晚上，我和他躺在床上玩对手指的游戏。边玩，边在他的笑声中细细和他讲，接下来妈妈要去哪几个地方，为什么得去这些地方，要离开几天，什么时候回来。他什么也没说，把胖手指缩回去，握紧拳头，提议说："我们来读书吧。"又补充说：

"要读《亲爱的小鱼》。"这时候，我已经把这本绘本当作"过去式"收起来了。他爬下床，怀着执念翻箱倒柜，找到书，摊开，自己一页一页念下去。

是啊，这个晚上之前，我一向怀着"怨妇"情结读这本书，兀自想象着孩子长大后如何抛下我们。但此刻一念之间，我突然意识到，这些完全无法主宰生活的孩子们，他们不可能改变大人们来来去去的决定。他们之所以热爱这本书，是因为在他们小小的、无助的心灵里，把甩尾远去的小鱼当成父母和亲友。

"嗯，妈妈，我会像小猫一样，在白天一直等你，看你会不会游回来。我也会在夜里继续等待，希望早点看见你回来。我知道你也爱我，我让你自由，而你终究会回来的。"两岁稚子大声读着《亲爱的小鱼》时，是想说出这样的话吧。

谁说他们不理解绘本，不理解分别，不会用一片至诚的心表达爱呢？

一瞬间，我被这本书巨大的魔法击中了。站在冬夜冷冰冰的床沿，热泪盈眶。

是的，我相信，在共读生涯中我们施展的所有魔法，孩子们终究会用最盛大的欢乐、最朴素的爱，给予回应。

之前谈到本书框架时，我和出版编辑说，在这本讲述0—2岁亲子共读的书里，有必要另开一个章节，谈谈父母这两年需要读什么书。

　　编辑乍听下，非常吃惊，可同为妈妈，她很快就理解并支持我的想法了。

　　怀孕时，很多准妈妈都会抱着"胎教"和"为日后做好妈妈充充电"的想法，勤奋地抱起书本。但孩子出生后，妈妈们被琐事和家事一挤压，再也无心阅读，或者把计划中的阅读时间，留给各种育儿速成大法、成功父母养成大法。——在我看来，这都是本末倒置的路。

　　探究所有能给孩子和自己带来自由人生的父母，他们都拥有有定见的内心。成熟的自我敦促他们与外界达成相当程度的默契与平衡：懂得谦逊和同情；真诚对待每一个灵魂；在充满诱惑的选择中埋头走自己的路；敢于对错误负责任；宁可在起始时努力，也不在结果里抱怨；热爱善与美。

我们可以为了给孩子更好的爱，去追寻更好的自我。但育儿之道只是你心灵世界外化表露的一个渠道。没有改变自我的勇气，而迫切把自己武装成"成功父母"，其结果大抵是画虎不成反类犬。

是的，育儿是心灵通往成熟的法门之一。因为渴望爱和被爱，我们有意识地趋近善与美。但和骑鲸之旅一样，只有完全放下功利之心，真诚地面对自己，在每一个当下调整和完善自我，才能使你的"父母之途"更为平坦。

归根到底，我们现下做的每一件事，不是为了孩子，而是为了成为更好的自己。

作为资浅妈妈，我鼎力推荐并大声疾呼：重视受孕至孩子两三岁这几年的自我阅读。在你琐事缠身、时刻被人所需要的这几年，如暂时入定般的阅读会产生巨大的魔法。或者说，比照你一生的阅读时光，这几年的阅读有极其重大的意义：1. 它是怀抱爱之准备与鼓舞的特殊阅读，目的性更强；2. 它是存在于你人生转折阶段的阅读，你将更深刻地感受到"灵魂超越日常琐事"的阅读快感；3. 日读日行，学且当下习之，阅读的巨大效用和现实中的投射得以显见。最后，经由这三年的自我阅读与共读，孩子将得到一个具足的学习环境，而父母则得以跳出"被日常琐事羁绊无力挣脱"的内心魔障，拥有足以迎战下一个人生阶段的崭新的、更为强大的自我学习能力。

请珍惜这个或能扭转乾坤的崭新开端。

作为一个普通的、在家庭收支和柴米油盐中疲于奔命的妈妈，我因这几年深夜的自我阅读受益良多。这些本为催眠的零碎阅读逐渐有力，它们与日常生活形成互文，成为与流年并行，却略高于人生的指引，成为我的定见和方向，最后和自我合为一体，成为能滔滔不绝付出的爱。

"孩子睡下后"的阅读，使我几乎全然割舍了：追剧的时间、逛街的时间、吃饭应酬的时间、吃夜宵的时间和闺蜜倒八卦的时间……这些年来，每个深夜，总有半小时至一小时里，我觉得自己茕茕孑立、身无长物，却因此得以翱翔。没错，只有打破原有习气、作息乃至放下原有行为和阅读模式，进而放下固有自我，心灵才有机会寻找新的归依。

回首这两三年，我的深夜阅读曾绕了许多远路。有时候我想，如果时光倒流，我会如何重新选择和规划自己的书单？——但没有关系，用对待孩子共读的心宽容且带着惊喜地看待自己。只要你每天拿起书，你会逐渐视阅读为常态，在这条长路的某个时刻，你推开门，会突然遇到面目全新的自己。

——栖居在熟睡孩子身边的你的心灵是这样盼望着的，并全力做好了准备。

如上文所说，这段时间的阅读，是怀着付出爱的准备和努力进行的。时至今日，回首这几年深夜的自我阅读，下面几个步骤使我受益良多。

1. 看闲书

看闲书是步入自我阅读的第一步。在一整天遍地鸡毛的家务、带娃和工作之后拿起一本你根本看不下去的"好"书，结果肯定是果断梦周公。所谓"自我阅读习惯"的培养将遥遥无期。爱读书，首先是得从读自己喜欢的书开始，进而使自我阅读被日常生活重新接纳。我产后有一段时间，特别是月子中，"被规定"不许用眼。育后半年生活规律也被彻底打乱。（母乳妈妈更是要围绕着孩子的吃喝拉撒计划时间。）我见过的大部分产后妈妈，有把零碎时间拿来追剧的、有网购的、有打游戏的，却很少有用于阅读的。问之，则回答说："看书太劳心劳力了，读不下去。"这时候，有趣的书或杂志就是桥梁。看时尚信息、看人物传记、看穿越小说、看爱情故事、看侦探盗墓……只要是"好玩"的书，尽可以帮助你重新进入阅读情境。记得出月子后，我是从看"悬疑"书开始进入阅读的。躺在嗷嗷待哺或酣睡的小宝宝身边，面露凶光地喋血越货，肚子里装了一大堆喋血伎俩，看书的习惯不知不觉又重新在产后的生活里确立了自己的位置。

2. 带着"功利心"读书

我有个女性朋友，以前一碰书就头疼。当了妈妈后，我到她家一看，都震惊了：满满一书架育儿读物！她皱着眉头跟我说："读这些书太痛苦了，还得做小笔记。但我想做个好妈妈。"我也有这样的经历。怀孕时自己一个人往返异乡，忙于工作，住单身公寓，挺着肚子吃食堂。当时左右无事，觉得自己也没给孩子做什么"胎教"，买了本《地藏菩萨本愿经》，每天念四十五分钟。这些事，不放在彼时彼地的情境中看，会觉得有股子"傻"劲。如今写在这里，也并不是推荐父母一定要读育儿读物或宗教典籍。只是过了很久之后，我突然意识到，和"兴趣爱好"一样，"功利心"也是一个法门。打个不恰当的比喻，就像一个虚荣的女孩想要人人爱，她到健身房开始锻炼，为了得到好身材开始茹素和减少夜生活，最后她得到了一个健康的身体。因为希望给自己和他人带来利益而求助于书本，不偏执地走下去，路也会越走越宽。

无论是"功利心"阅读、"跟风"阅读，甚至"凑单"阅读，都是"看闲书"阅读之后的第二次进阶。打破原有的阅读惯性和界限，才能遇见未知的自己。

3."远虑近忧"都要看

做父母后，实用书看得多，"形而上"书看得少了。想跟孩子共读、想做好吃的辅食和餐点、想全家旅行、想做好手头PPT……于是买了一堆绘本、烹饪书、旅游攻略、职场大全。看书跟堵窟窿似的，生活上哪里有"不知"的忧虑，就囫囵吞枣地读一通，期待能在原地满血复活。这样的阅读方式，缺乏系统的人生观做呼应，知道自己必须做，却不知道自己为何而做，久而久之，只会得到一个闷头推磨、忙碌又没有定见的人生。那些离现实的柴米油盐有些距离，却可以成为你生活原理的强力支撑点的书：哲学、心理学、科普类、社会学……在你的盛年、孩子呱呱落地之初、家庭重装起步之始，都需要你为自己、为家人重新梳理缔清。

令人惊奇的是，这时候，我们和孩子所面对的，其实是同一个问题，即：如何形成自己，如何接受自己。没有什么比初为父母这段时期更让人清晰地感受到：自我是如此不完整。我们不是、也不可能是完美的育儿专家，甚至我们自己都一身毛病，负重沉沉，何德何能引领另一个崭新的生命走向真、善、美？当生命面对困惑时，阅读是自我修正的重要途径。这一行为裹挟着思考、对话和改变，督促你正视内心、确立信念、接受不完美的自我，最后，彻底打开自己。

"自我阅读"的书单，绝对是迥然各异的。由于个人才疏，篇目有限，下面推荐的仅是：与教养和爱有关，却在相当长时间被忽略的"父母自我阅读"书籍。最重要的有——

1. 童书：指绘本和以童话为主的大量儿童文学作品

没错，许多致力共读的父母终究会陪伴孩子阅读（或再次阅读）这些童年经典。但尝试一下，当孩子尚在襁褓之中，你"先一步"进行自我阅读，效果会迥然不同。我们最需要的，不是俯就和指导孩子的童年，而是自己接近童心，再度回归童年。我经常在想，如果我童年时不是花费过多时间阅读巴尔扎克、曹雪芹、鲁迅，不是抱着"非世界名著不看"的教育理念阅读，而仅仅只是在童书里翱翔，现在的我会不会离幻想王国更近一些，更自由丰富一些？的确，卓越的、以孩提之心为主体的童书的大量阅读，会鼓舞父母怀抱赤子之心，回归幻想王国。经由此路，我们加大努力的可能，努力获得某个无限趋近于"孩子"的视角，并由此得以与孩子坦诚相见。

2. 心理学书籍：这里指的不是所谓"心灵鸡汤"类的图书

不是鼓励你"一定要向前冲""奋斗""用力爱"的书，而是从浅白渐趋艰深，关于回溯、了解、预测个体行为和心理的科学的那部分书籍。知道自己需要去爱，遍尝喜怒哀乐——也知道自己为何爱，为何喜怒哀乐，并不断修正自己的内心。父母之爱——我越来越觉得——必须是失去之爱。奋力去爱的目的不是为了占有，而是为了与孩子一起塑造他们完整的自我人格，促成他们早日独立面对世界。只有在某个时候，快乐地"放下"心智成熟的孩子，这样的爱才谈得上圆满。在这未来的十余年甚至几十年，无论是孩子或是父母，都需要成长为"心智成熟、自我圆满"的人。心理上的自我修正因此非常必要。

3. 人物传记：这里指的不是"成功父母必读""天才宝宝如何培养"这样的养成大全

　　而是那些叙述个体人生片段或全景，将成败据实以告的书。我曾是一个傲慢的人，很排斥看各种人物传记。归根到底，当时我对别人的人生没有多大兴趣。但产后有一段时间，我突然变得非常热衷于人物传记方面的书，想看到各种各样的人生。有一天夜里，我突然不可思议地想，为什么自己开始对别人的一生表现得如此热切？——说这件事，不是要说，因为我现在喜欢看人物传记，所以力荐大家看这些书，而是说：许多父母在育儿之后，开始对各种各样与己无关的人生，萌发出某种本能、某种好奇。"别人的一生到底是怎么过的呢？"——因为"接手"新生命，产生这样的联想而去阅读。这时候，人物传记就像一扇扇打开的门。你走进的门越多，知道的各种人生的悲喜越多，了解的选择、诱惑、成败越多，你的心就会越发开阔笃定起来。每一个人的人生，都可能是你孩子的未来、你的未来。带着这样的想法去看人物传记，这样的阅读是非常有力的。

4. 科普读物：实际上，这几年的"自我阅读"必须回归原点

即多阅读"为什么是这样的"的书。孩子张嘴问我们的第一个问题，总是从"为什么"开始的。"天为什么是蓝色的？""我为什么来到这里？""你为什么是我妈妈？""为什么会刮起风？""车为什么跑得比人快？"……科普书有利于我们重新梳理对世界的认识。

5. 宗教典籍：有信仰是一件美事

但"自我阅读"和信仰并没有直接的目的性关联。很多源远流长的宗教典籍都是最好的育儿经典。因为神的开示大都一视同仁、见微知著、平等、有耐心、深入浅出、教人以善。成年人比孩子更应该阅读宗教典籍，因为他们已有敏锐的感知与定见，足以避开"恐吓教育"和"诱导教育"，以获得其中真髓。

……

从怀孕到孩子满两岁，三年很短。它仅仅是个开端，意味着你以新身份开始人生新的旅程。但它至关重要。它是一个奠定和开启。我们和孩子的第一次对视、第一次对话、第一次拥抱……都意味深长、伏线千里。

"自我阅读"帮助我们在这短暂且重要的三年不断进行自我修正。帮助我们宽恕和接受自己，开放且自由地热爱新生命。

　　在我力荐家长进行"自我阅读"的过程中，曾遇到两个非常重要并饶有趣味的问题。现在把这两个问题与我的回答列在这里，作为这篇文章的完结——

　　有一次，当我滔滔不绝说着"自我阅读"的好处时，一个妈妈打断我，问："读书当然是好的。可是，我想问的是，我要怎么成为与众不同的妈妈呢？或者我学着做好看的便当？或者我给她写诗？花时间做这些事，孩子会不会更开心点？"

　　孩子们从不需要"与众不同的妈妈"，他们只需要"存在着的妈妈"。在每个当下全力以赴的父母，真诚与他们分享内心所见的父母，即使再普通，也会受到孩子尊敬和推崇。在学习各种取悦孩子之"术"前，先通过阅读等手段，使自己成为心智成熟的人。这才是固本之源。

　　还有一次，有一位爸爸问我："你真相信人会越变越好吗？真以为人们会越来越懂得怎么爱孩子吗？我不相信。"

　　我相信。

　　据说，古罗马法律规定，父亲对子女有绝对控制权。父亲可以出售子女，也可以将他们处死。有将近一千年的时间，父权是最为至高无上的权力之一，被中国、英国等国家写入他们的法律和社会规范之中。许多幼年出外谋生的孩子的待遇和仆人基本没有分别。直到近代，年幼的孩子才受到重视，社会承认他们要经历特殊的成长过程，值得得到父母和公众的关爱。

　　社会在"如何对待新生命"的问题上不断反思，不断进步，是无数个体，无数像我们这样错漏百出，却始终付出爱的父母一代接一代的自省、反思、努力的结果。因为爱，父母们没有止步于自己不完美的童年，没有止步于自己的既得权威，没有止步于自己封闭的思想，而是用重塑新世界的信念和旧秩序做着漫长的斗争。

因为爱与勇气，人类得以生生不息。成为父母的我们，也因此有希望获得全新的自己。

为了我们和孩子共同的美好未来，请翻开书本——

向 0—2 岁孩子的父母推荐的"童心读物"
——助力亲子共读书

　　因篇幅关系,本书仅推荐0—2岁婴幼儿父母可以翻阅的童话、童诗、儿童文学和一部分父母所写的随笔。这些书也许简单,但绝不幼稚;思想空灵、用情至深。在今后十年内,你们一定会陪着孩子再度翻阅这些书。它们适合历世未深之初心,也能打动饱经沧桑的灵魂。这些书是富有智慧却对生命充满谦恭的人写作的。也许你会比自己襁褓中的孩子早一些读到它们。但孩子们奔跑而来的脚步并不太远。

《幸福的种子》

《给孩子 100 本最棒的书》

《喂故事书长大的孩子》

《朗读手册》

《绘本之力》

《我的图画书论》

《绘本有什么了不起》

《绘本阅读时代》

《孩子的宇宙》

《世界图画书阅读与经典》《世界儿童文学阅读与经典》（一套两册）

传记、随笔：

《学飞的盟盟》

《小小姑娘》

《静子》

《孩子你慢慢来》

《我是被老师教坏的》

《亲爱的安德烈》

《有一天啊，宝宝…》

《残酷世界和最爱的你》

《你是世上最好的妈妈》

《窗边的小豆豆》

《佐贺的超级阿嬷》

《塔莎的世界》

《夏山学校》

《好小子——童年故事》

《独闯天下》

童书：

《火车头大旅行》

《永远讲不完的故事》

《毛毛：时间窃贼和一个小女孩的不可思议的故事》

《十三海盗》

《当世界年纪还小的时候》

《大海在哪里》

《不老泉》

《天堂里的海龟》

《乐琦的神奇力量》

"凡尔纳科幻经典 4 部曲"

《少年克拉巴德》

"大盗霍琛布鲁茨"系列

《希利尔讲艺术史》

《小毛驴与我》

《吹牛大王历险记》

《长袜子皮皮》

《吹小号的天鹅》

《柑橘与柠檬啊》

《狼群中的朱莉》

《小王子》

《星星和蒲公英》

《牧羊少年奇幻之旅》

《法老的诅咒》

《兰心的秘密》

《关于来洛尼亚王国的十三个童话故事》

《拴牛的山茶树》

《鹿舞起源》

《巧克力天使》

《草原小镇》

《爱德华的奇妙之旅》

《想做好孩子》

《魔堡》

《五个孩子和凤凰与魔毯》

《四个孩子和一个护身符》

《五个孩子和一个怪物》

《铁路边的孩子们》

《柳林风声》

《精灵鼠小弟》

《闯祸的快乐少年》

《夏洛的网》

《爱丽丝漫游奇境》

《昆虫记》

《平面国》

《高飞》

《国王的五分之一》

《骑士降龙记》

《冻僵的王子》

《德国当代儿童文学经典作品集》（全两辑）

《女巫》

《魔法手指》

《了不起的狐狸爸爸》

《詹姆斯与大仙桃》

《玛蒂尔达》

《查理和巧克力工厂》

《查理和大玻璃升降机》

《小乔治的神奇魔药》

《好心眼儿巨人》

《鬼妈妈》

《奔向荒野》

"安房直子月光童话"系列

《彼得·潘》

《银河铁道之夜》

《坟场之书》

《要求太多的餐馆》

《安吉拉·卡特的精怪故事集》

《汉娜的手提箱》

《昨天晚上，爸爸回来晚了，那是因为……》

《向着明亮那方》

《一个孩子的诗园》

《健介的王国》

《地海巫师》

鸣谢

感谢以下出版单位为本书提供封面图片

北京蒲蒲兰文化发展有限公司

北京启发世纪图书有限责任公司

海豚绘本花园

蒲公英童书馆

信谊图画书

少年儿童出版社

心喜阅 Love Reading Books

新经典文化有限公司

图书在版编目（CIP）数据

骑鲸之旅：0—2岁亲子共读不可不知的神奇魔法 / 粲然著. —南京：
译林出版社，2013.7
ISBN 978-7-5447-3869-9

Ⅰ.①骑… Ⅱ.①粲… Ⅲ.①儿童教育-家庭教育-阅读辅导
Ⅳ.①G78

中国版本图书馆CIP数据核字（2013）第109250号

书　　名	骑鲸之旅：0—2岁亲子共读不可不知的神奇魔法
作　　者	粲　然
责任编辑	陆元昶
特约编辑	冯旭梅
出版发行	凤凰出版传媒股份有限公司
	译林出版社
出版社地址	南京市湖南路1号A楼，邮编：210009
电子信箱	yilin@yilin.com
出版社网址	http://www.yilin.com
印　　刷	北京凯达印务有限公司
开　　本	710×1000毫米　　1/16
印　　张	15.25
字　　数	153千字
版　　次	2013年7月第1版　2015年10月第2次印刷
书　　号	ISBN 978-7-5447-3869-9
定　　价	35.80元

译林版图书若有印装错误可向承印厂调换